Ratusz we Wrocławiu

Katedra w Oliwie

Ratusz w Poznaniu

Zamek w Malborku

Klasztor na Jasnej Górze

Sławomir Mierzwa

Historia Polski
Atlas ilustrowany

EUROPA
WYDAWNICTWO

Dyrektor, redaktor naczelny
Wojciech Głuch

Opracowanie koncepcji atlasu
Sławomir Mierzwa

Redaktor naukowy
dr hab. Grzegorz Strauchold

Koordynacja prac
Magdalena Cichoń-Siudzińska, Agnieszka Szczerbik

Opracowanie redakcyjne
Maria Derwich

Korekta
Zofia Bronicka-Wyrwas

Opracowanie map
Dariusz Przybytek, Sławomir Mierzwa

Dobór materiału ilustracyjnego
Studio MAK sp. z o.o. (Małgorzata Pytel)

Fotografie
Studio MAK sp. z o.o. (Janusz Ordon, Marcin Karolewski, Ewa Poddig), Corel Corporation, The University of Texas at Austin General Library, National Archives and Records Administration, Calvin College, Australian War Memorial, Archiwum Główne Akt Dawnych, Mariusz Borowik, Krzysztof Kobuz, Joanna i Jerzy Kurowscy serwis karkonosze.com, Paweł Malinowski, Janusz Monkiewicz, Anna Olej, Zdzisław Wyleżyński polska.pl, Dariusz Zaród, Małgorzata Ziewiecka, astral.lodz.pl, austro-hungarian.army.co.uk, biuro RCS, euro.pap.com.pl, drdance.com, galeria.ozorkow.net, gh.wh.uni-dortmund.de, historiaonline.friko.pl, internetowy bank zdjęć e-zoom.pl, Liceum Ogólnokształcące Olecko, mladina.si, nato.int, oficjalny serwis internetowy gidle.pl, onlineathens.com, phantasm77.com, Rich Geib's Universe, serwis historialitems, utia.cas.cz, Temple University, zomoza.kgb.pl

Opracowanie graficzne i typograficzne
Studio MAK sp. z o.o. (Gabriela Sokołowska)

Projekt okładki
Studio MAK sp. z o.o. (Michał Karmański)

Przygotowanie do druku
Studio MAK sp. z o.o. (Piotr Sieradzki)

Wydanie drugie 2006
© 2005 by Wydawnictwo EUROPA

ISBN 83-7407-009-9

Wydawnictwo EUROPA
ul. Kościuszki 35, 50-011 Wrocław
tel. (071) 346 30 10, faks (071) 346 30 15
e-mail: europa@wydawnictwo-europa.pl
www.wydawnictwo-europa.pl

Druk i oprawa
Przedsiębiorstwo Poligraficzno-Wydawnicze ANGRAF, Piła

Od autora

Niniejszy atlas przeznaczony jest dla uczniów szkół podstawowych i gimnazjalnych pragnących samodzielnie poszerzyć własną wiedzę historyczną. Treści w nim zawarte podkreślają miejsce Polski w Europie. Ukazują jej rozwój polityczny, gospodarczy i duchowy, a także dorobek kulturalny, począwszy od wędrówki ludów aż po współczesność.

„Historia Polski. Atlas ilustrowany" zawiera ponad 80 map oraz około 100 ilustracji ukazujących zagadnienia i postacie, które odegrały istotną rolę w dziejach Polski i Europy, a także przedstawiających ważniejsze zabytki architektury i sztuki. Mapy i ilustracje opatrzone zostały komentarzem historycznym, mającym dopomóc w zrozumieniu dziejów ojczystych na przestrzeni wieków.

Kryzys państwa rzymskiego objawił się w III w. n.e. walkami o tron cesarski i wojnami domowymi. Sytuację tę wykorzystały ludy barbarzyńskie, głównie germańskie, które napadały na ziemie cesarstwa, niszcząc je lub osiedlając się na nich. Pod koniec IV w. n.e. plemiona germańskie masowo ruszyły w stronę granic rzymskich, by uzyskać ochronę przed groźnymi Hunami. Powstał nieopisany chaos, nad którym starali się bezskutecznie zapanować cesarze rzymscy. Barbarzyńskie plemiona szły przez ziemie Cesarstwa Zachodniorzymskiego, osiedlając się, gdzie im się podobało, uznając władzę cesarzy bądź walcząc z nią. W 476 r. wódz germański Odoaker obalił ostatniego cesarza zachodniorzymskiego – Romulusa Augustulusa. Data ta wyznacza umowny koniec epoki starożytnej i początek średniowiecza. Cesarstwo Wschodniorzymskie, zwane później Bizantyjskim przetrwało do 1453 r. Kres jego istnieniu położyli Turcy osmańscy. Datę tę (obok 1492 r.) przyjmuje się umownie jako koniec średniowiecza i początek nowożytności.

OCEAN ARKTYCZNY

Islandia (norw.)

Koło podbiegunowe północne

MORZE NORWESKIE

Lofoty

W-y Owcze (norw.)

KRÓL. NORWEGII

KRÓL. SZWECJI

Lapończycy

Szetlandy

Zat. Botnicka

Finowie

Ładoga

Hebrydy

Orkady

OSLO

UPPSALA

Estowie

Pejpus

KRÓL. SZKOCJI

Stavanger

Birka

Gotlandia

Liwowie

Psków

MORZE PÓŁNOCNE

EDYNBURG

KRÓL. DANII

ROSKILDE

MORZE BAŁTYCKIE

Letgałowie

Litwini

Dźwina

IRLANDIA

KRÓLESTWO

Niemen

OCEAN ATLANTYCKI

Dublin

WALIA

ANGLII

LONDYN

Obodryci

Wieleci

Wolin

Gdańsk

Truso

Pomorzanie

Prusowie

Hamburg

Łaba

Prypeć

W-y Normandzkie

Magdeburg

Odra

Warta

GNIEZNO

KSIĘS

KRÓL. POLSKIE

KIJÓ

Bretania

Normandia

Sekwana

PARYŻ

Moguncja

Ren

Wezera

Łużyce

Wrocław

Bug

AKWIZGRAN

KRÓL.

NIEMIECKIE

PRAGA

Kraków

Ratyzbona

KS. CZESKIE

Zatoka Biskajska

Loara

Dunaj

Słowacja

Dniestr

KRÓL. FRANCJI

KRÓL. BURGUNDII

Wiedeń

OSTRZYHOM

KRÓL. WĘGIERSKIE

Drawa

Cisa

KRÓL. LEONU

KRÓL. NAWARRY

KRÓL. KASTYLII

Tuluza

Rodan

Ebro

KRÓL. ARAGONII

ARLES

MEDIOLAN

WENECJA

Genua

KRÓL. WŁOCH

REP. WENECKA

KRÓL. CHORWACJI

Sawa

KS. SERBII

Belgrad

Wolosi

Dunaj

Duero

Hr. Barcelony

Barcelona

Florencja

MORZE ADRIATYCKIE

CARSTWO

BUŁGARII

Sredec

CESARS

Lizbona

Tag

KALIFAT

KORDOBY

Gwadiana

Sewilla

KORDOBA

Baleary

PAŃSTWO KOŚCIELNE

Korsyka

RZYM

ks. BENEWENTU

BENEWENT

Neapol

Tarent

Kadyks

Tanger

MORZE TYRREŃSKIE

Sardynia

MORZE JOŃSKIE

Ateny

Sm

Fez

Oran

Algier

KALIFAT FATYMIDÓW

TUNIS

Palermo

Sycylia

MORZE Ś R Ó D Z I E

Malta

Kreta

Europa ok. 1000 r.

— granice państw w 1000 r.
— inne granice
━ granice Cesarstwa Rzymskiego
→ główne kierunki ekspansji Normanów
▭ ziemie opanowane przez Bolesława Chrobrego w latach 1001–1018

Przemieszczające się w różnym czasie plemiona osiadły i stworzyły trwałe ośrodki polityczne rządzone przez monarchów. Tak powstały między innymi: Anglia, Irlandia, Francja, Niemcy, Włochy, Czechy, Polska, Węgry, Serbia i Szwecja. Większość ziem Półwyspu Bałkańskiego i Księstwo Kijowskie pozostawały w strefie oddziaływania cesarstwa bizantyjskiego.

Katedra w Akwizgranie (widok obecny)

Po upadku Cesarstwa Zachodniorzymskiego potomkowie barbarzyńców podjęli starania o stworzenie państwa, które jednoczyłoby wszystkie plemiona. Początkowo sukces odnosili władcy Franków; jeden z nich, Karol Wielki, został koronowany przez papieża na cesarza rzymskiego (800 r.). Jednak już syn Karola, Ludwik Pobożny, miał coraz większe trudności we władaniu potężną monarchią i podzielił ją między swoich trzech synów. Walki toczyły się nie tylko pomiędzy sukcesorami Karola Wielkiego. Chaos powiększały niszczycielskie najazdy Normanów, zwanych też wikingami, oraz Madziarów, czyli Węgrów. Najazdy te powstrzymywali władcy Niemiec. To właśnie oni, po podporządkowaniu sobie większości terenów państwa Karola Wielkiego (z wyjątkiem Francji) i ziem słowiańskich, zbudowali nowe imperium.

Karol Wielki

cena z XI w. rzedstawiająca alkę rycerską

Rozwój chrześcijaństwa VI – XV w.

obszary schrystianizowane w wiekach:

do VI | VII–VIII | IX | X–XI | XII–XIII | XIV–XV

granica kościoła prawosławnego od 1054 r.

stolica papieska

arcybiskupstwa do 1054 r.

patriarchaty wschodnie od 1054 r.

ważniejsze sobory

Krak des Chevaliers
– największy zamek krzyżowców w Ziemi Świętej (XII w.)

Zasięg religii chrześcijańskiej w IV w. n.e. pokrył się mniej więcej z terytorium państwa rzymskiego. Jednak podział Cesarstwa na Wschodnio- i Zachodniorzymskie oraz upadek tego drugiego spowodowały powolny rozłam chrześcijaństwa. Ostateczny rozłam dokonał się w 1054 r. – wtedy doszło do tzw. schizmy wschodniej. Powstały dwa odrębne Kościoły: prawosławny i rzymskokatolicki.

Styl romański, baszta zamku w Lublinie

Styl gotycki, gdański kościół Mariacki

Średniowiecze było okresem, kiedy w zachodniej części kontynentu ustalono zasady wyboru papieża, zorganizowania hierarchii kościelnej, ustalenia jednolitej liturgii czy prowadzenia akcji chrystianizacyjnej, która przybierała różne formy: od wysyłania misjonarzy po ogłoszenie wypraw krzyżowych (krucjat). Ich celem była walka z islamem.

Dzięki Kościołowi rozwijała się kultura. Przetrwała i rozwinęła się umiejętność czytania i pisania, ocalały język łaciński i dorobek świata antycznego. Księgi przepisywali mnisi, głównie z zakonu benedyktynów, założonego przez św. Benedykta z Nursji. Stąd wzięło się określenie „benedyktyńska praca" – długa i dokładna. Przy klasztorach powstawały szkoły, które dały początek uniwersytetom.

Style architektoniczne, w których wznoszono świątynie – romański i gotycki – upowszechniły się w kształcie budowli świeckich.

Klasztor ojców dominikanów w Gidlach

Słowianie VIII–X w.

<u>Nitra</u>　ośrodki misyjne Cyryla i Metodego
Węgrzy　ludy niesłowiańskie

**Tak zwany Światowit
ze Zbrucza**

Rodowód Słowian

konstrukcja grodu

Słowianie należą do ludności posługującej się grupą języków indoeuropejskich. To znaczy, że wszystkie języki, którymi mówi się od Europy Zachodniej aż po Indie, są spokrewnione ze sobą. Ludność posługująca się językami słowiańskimi żyła z dala od starożytnych ośrodków cywilizacji. Dlatego wzmianki antycznych historyków o tych ludach są skąpe. Dopiero wschodniorzymski historyk Jordanes w VI w. n.e. opisał Słowian i ich ziemie. Ustaleniem wcześniejszych ich dziejów zajmują się między innymi archeolodzy. Począwszy od VI w. n.e., Słowianie rozpoczęli ekspansję, a jednocześnie nastąpił ich podział na trzy grupy: Słowian zachodnich, południowych i wschodnich.

Słowianie zajmowali się uprawą ziemi, hodowlą oraz rzemiosłem. Oddawali cześć wielu bogom, wśród których naczelne miejsce zajmowali: Perun, Swaróg – Swarożyc, Wołos – Weles i Światowid – Świętowit. W VII w. powstało pierwsze państwo słowiańskie: państwo Samona z centrum na Morawach. Później powstały państwa: bułgarskie, wielkomorawskie, czeskie, ruskie. Plemionami zarządzał wiec, czyli zgromadzenie wolnych dorosłych mężczyzn. W czasie zagrożenia wybierali wodza: wojewodę, zwanego księciem lub żupanem.

Z plemion prapolskich zamieszkujących dorzecze Wisły i Odry na pierwszy plan wysunęło się plemię Wiślan. Zamieszkiwało ono obszar górnej Wisły i na południu sąsiadowało z potężną Rzeszą Wielkomorawską. W „Żywocie św. Metodego" wspomniano, że „pogański książę, bardzo potężny, siedząc w Wiślech urągał chrześcijaństwu i szkody im wyrządzał". Wiślanie zostali pobici przez Morawian, a ich książę, którego imienia nie znamy, trafił do niewoli. Dzięki temu wydarzeniu na plan pierwszy w jednoczeniu plemion prapolskich wysunęli się wielkopolscy Polanie. Według legendy wielkopolskiej żył król Popiel, który został zjedzony przez myszy. Po nim władzę objął ubogi Piast, dając w ten sposób początek dynastii piastowskiej. Po nim mieli panować kolejno Siemowit, Lestek i Siemomysł. Ich rządy to czas walk, w efekcie których rozszerzali granice swojego państwa. Synem Siemomysła był Mieszko I, panujący w latach około 960–992: pierwszy książę wymieniony w kronikach i dokumentach, czyli pierwszy władca historyczny powstającego państwa polskiego.

Zabudowania rolnicze

Państwo Mieszka I

— granice państw w 992 r.
— inne granice
— granice Cesarstwa Rzymskiego po 990 r.
— granice Księstwa Kijowskiego po 981 r.
— granice Polski po 990 r.
— państwo Mieszka I w 966 r.
— zdobycze Mieszka I do 980 r.
✝ biskupstwa i arcybiskupstwa z datami założenia
✗ ważniejsze bitwy

Mieszko I w koronie książęcej

Mieszko I (ok. 960–992) kontynuował dzieło poprzedników, rozszerzając granice swojego państwa. W latach 60. X w. zwycięsko walczył o ujście Odry ze słowiańskimi Wieletami i z Niemcami; tych ostatnich pokonał w 972 r. pod Cedynią. Nie udało mu się jednak powstrzymać Rusinów przed zagarnięciem tak zwanych Grodów Czerwieńskich. W 966 r., za pośrednictwem czeskim, Mieszko przyjął chrzest w obrządku łacińskim. Wiara w jednego Boga jednoczyła poddanych i wzmacniała pozycję księcia. Dodatkowo chrzest włączył młode państwo w krąg cywilizacji zachodniej.

Ostrów Lednicki – widok dzisiejszy

Królestwo Bolesława Chrobrego

— granice państw w 1000 r.
— inne granice
— granice Cesarstwa Rzymskiego w 1000 r.
— granice Księstwa Kijowskiego w 1000 r.
— granice Królestwa Polskiego w 1025 r.
▨ Polska w 1000 r.
▨ zdobycze Bolesława Chrobrego
☐ ziemie opanowane czasowo
→ wyprawy Bolesława Chrobrego
→ misja św. Wojciecha do Prus (997)
1000 daty przyłączenia ziem
✝ nowe biskupstwa i arcybiskupstwa
1000 z datami założenia

Wojciech był biskupem Pragi, lecz wojna domowa w Cze-chach i śmierć prawie wszystkich członków jego rodziny zmusiły go do opuszczenia w 996 r. ojczyzny. Schronił się na dworze Bolesława Chrobrego. Prowadził przez jakiś czas pracę misyjną w Polsce, głównie na Pomorzu, po czym udał się do pogańskich Prusów. Tu został zabity 23 IV 997 r. Papież Sylwester II ogłosił biskupa świętym, a w 999 r. utworzył na ziemiach polskich prowincję kościelną z arcybiskup-stwem gnieźnieńskim na czele. Pierwszym arcybiskupem został rodzony brat św. Wojciecha – Ra-dzim-Gaudenty. W 1000 r. odbył się zjazd w Gnieźnie, na którym powołano cztery diecezje.

Drzwi Gnieźnieńskie. Scena męczeństwa św. Wojciecha

Po śmierci Bolesława Chrobrego władzę objął jego syn Mieszko II (1025–
–1034). Rozpoczął się okres walk pomiędzy nim a braćmi, do których włączali się władcy Niemiec i Rusi. Dodatkowo pogłębiało chaos powstanie ludowe wymierzone w feudałów i chrześcijańską wiarę.

Państwo odbudował Kazimierz Odnowiciel (1039–1058), a jego następca, Bolesław Szczodry, zwany też Śmiałym (1058–1079), koronował się na króla Polski.

Król Bolesław wdał się w spór z biskupem Stanisławem, który zakończył się skazaniem duchownego na śmierć za zdradę. Monarcha został wygnany z kraju przez zbuntowanych możnych, a rządy objął jego młodszy brat – Władysław Herman (1079–1102). Jego dwaj synowie, Bolesław i Zbigniew, walczyli ze sobą o tron, w co wmieszał się Henryk V, władca Niemiec. Najazd niemiecko-czeski z 1109 r. odparto, a Zbigniew został z rozkazu brata oślepiony.

Według tradycji biskup Stanisław został zabity przez króla Bolesława Szczodrego przy ołtarzu

Bolesław, zwany Krzywoustym, opanował zbrojnie, w wyniku wieloletnich walk, Pomorze, a następnie patronował akcjom misyjnym na świeżo przyłączonych terenach. Największą troską księcia była sprawa następcy – miał bowiem kilku synów, którzy mogli po jego śmierci rozpocząć walkę o władzę. Byłoby to bardzo niebezpieczne dla całości i znaczenia państwa polskiego.

Bolesław Krzywousty

Obrona Głogowa

Statut Bolesława Krzywoustego

——————	granice państw w 1138 r.
——————	inne granice
▬▬▬	granice Polski w 1138 r.
▢	dzielnica senioralna
▢	dzielnica Władysława Wygnańca
▢	dzielnica Bolesława Kędzierzawego
▢	dzielnica Mieszka Starego
▢	ziemie zależne od Polski

Władysław Wygnaniec

Mieszko III Stary

Kazimierz Sprawiedliwy

Bolesław Krzywousty, aby zapobiec bratobójczym walkom swoich synów, ustanowił zasadę senioratu. Zgodnie z nią każdy z książąt otrzymał dziedziczną dzielnicę, a najstarszy władał dodatkowo tak zwaną dzielnicą senioralną, która była zawsze własnością najstarszego w rodzie Piastów, czyli seniora. Pierwszym seniorem został Władysław Wygnaniec, który już po ośmiu latach panowania, w 1146 r., został wygnany przez młodszych braci.

Nie oznaczało to końca walk; młodsi bracia z zazdrością spoglądali na dzielnicę senioralną, którą zarządzał kolejny najstarszy z rodu, Bolesław Kędzierzawy, a potem Mieszko Stary. Możni, którzy też chcieli odgrywać rolę polityczną, zbuntowali się przeciwko seniorowi Mieszkowi Staremu. W 1177 r. wygnali go z Krakowa, powołując na tron Kazimierza Sprawiedliwego. Trzy lata później uzyskał on zgodę możnych na dziedziczne władanie dzielnicą senioralną przez siebie i swoich synów. Zasady senioratu ustanowione przez Bolesława Krzywoustego przestały obowiązywać.

MORZE BAŁTYCKIE

Wołogoszcz
Wolin Kołobrzeg
Pomorze Zachodnie
Szczecin

Gdańsk
Pomorze Gdańskie
Elbląg

PAŃSTWO ZAKONU KRZYŻACKIEGO

P r u s o w i e

Niemen

Marchia Brandenburska

BRANDENBURG

Lubusz

Odra

Nakło
Chełmno
Toruń
Kujawy

Warta Gniezno

Włocławek
J. Gopło
Płock
Wisła

Narew

W i e l k o p o l s k a

Poznań

Łęczyca

M a z o w s z e

Bug Drohiczyn
Brześć

Henryk Brod...

Nysa

Kalisz

Sieradz

Pilica

Marchia Łużycka

Miśnia

Marchia Miśnieńska
Budziszyn

Legnica
✕✕
1241

Wrocław

Ś l ą s k

Opole

Kłodzko

Racibórz

San
Sandomierz

Lublin

Styr

Księstwo Halicko-Włodzimierskie

WŁODZIMIERZ

PRAGA Łaba

Ołomuniec

Cieszyn

M a ł o p o l s k a

KRAKÓW

Przemyśl

HALICZ

KRÓLESTWO CZESKIE

Brno

M o r a w y

KRÓLESTWO WĘGIERSKIE

Polska Henryków śląskich

— granice państw w 1241 r.
— inne granice
━ granice metropolii gnieźnieńskiej
▦ dzielnice Henryka Pobożnego
▦ lenna Henryka Pobożnego
▦ dzielnice Konrada Mazowieckiego
▦ niezależne Pomorze Gdańskie
➤ kierunki najazdu Mongołów w 1241 r.

Pieczęć Bolesława Łysego, zwanego Rogatką

Henryk Pobożny, książę śląski

Na początku XIII w. na czoło księstw piastowskich wysunął się Śląsk, rządzony przez Henryka I Brodatego (1201–1238). Zwycięskie walki z krewniakami dały mu też panowanie nad prawie całą Wielkopolską i Małopolską. Kres świetności monarchii Henryków śląskich przyniósł najazd mongolski z 1241 r. W bitwie pod Legnicą poległ książę Henryk II Pobożny (1238–1241), a po jego śmierci państwo się rozpadło. Księstwo wrocławskie podzielone zostało między synów Henryka II Pobożnego: Bolesława Łysego, zwanego też Rogatką, Henryka III i Konrada. Pod koniec XIII w. próbował zjednoczyć księstwa Henryk IV Prawy (Probus). Po początkowych sukcesach – opanował Kraków – zmarł nagle w 1290 r., nie pozostawiając po sobie następcy.

Kolonizacja niemiecka w Polsce XII–XIV w.

— granice państw ok. 1300 r.
— inne granice
▨ obszar osadnictwa polskiego
▨ ziemie objęte kolonizacją niemiecką
➜ główne kierunki napływu kolonistów
● miasta założone na prawie niemieckim

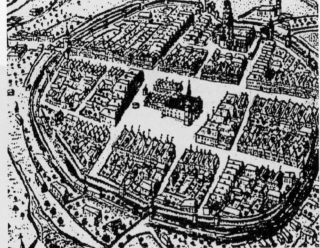

Miasto na rycinie średniowiecznej

Wieki XII i XIII to okres ożywienia gospodarczego w Europie zachodniej i środkowej. W XIII w. na ziemie polskie zaczęła napływać ludność walońska (z terenów dzisiejszej Belgii) oraz niemiecka. W porozumieniu z miejscowym feudałem osadnicy zakładali (lokowali) wsie z własnym samorządem i sądownictwem. Podobnie było z miastami: książę dawał osadnikom tereny, ustalał wysokość czynszu, określał ich przywileje gospodarcze i nadawał samorząd – radę miejską z wójtem lub burmistrzem na czele. Centralnym punktem miasta był rynek, wokół którego toczyło się jego życie. W rynku znajdował się ratusz, a dookoła budowali swoje kamienice najbogatsi mieszczanie. Takie osadnictwo nazywano osadnictwem niemieckim lub na prawie niemieckim.

Od lat 80. XIII w. narastało dążenie do zjednoczenia ziem piastowskich w jedno państwo. Próby takie podejmowali Leszek Czarny, Henryk IV Prawy oraz książę wielkopolski Przemysł II, który w 1295 r. koronował się na króla Polski. Po jego tragicznej śmierci przez pewien czas władał Polską król Czech Wacław II. Kiedy zmarł, władzę na ziemiach polskich przejął książę kujawski Władysław Łokietek. W 1314 r. władał już Wielkopolską, Małopolską, Kujawami, ziemią sieradzką i łęczycką. Nie uznawali go władcy Śląska i Mazowsza. Dużym zagrożeniem jednoczącego się państwa byli władcy Brandenburgii, Krzyża

Władysław Łokietek zrywa pakt z Krzyżakami (1308) – fragment obrazu Jana Matejki

Odnowienie Królestwa Polskiego

—— granice państw ok. 1300 r.
—— inne granice
▬▬ granice Polski Wacława II w 1300 r.
ziemie opanowane przez Władysława Łokietka
☐ 1305   ☐ 1306   ☐ 1313
☐ niezależne księstwa Piastów
☐ ziemie polskie zajęte przez Krzyżaków
☐ ziemie polskie zajęte przez Brandenburgię
☐ księstwa zhołdowane przez Czechy

cy (w latach 1308–1309 zagarnęli Pomorze Gdańskie) i królowie Czech z dynastii Luksemburgów, pretendujący do tronu polskiego jako następcy Wacława II.

Władysław Łokietek koronował się na króla w 1320 r., ale wojny z Czechami i Krzyżakami – pomimo zwycięskiej bitwy pod Płowcami w 1331 r. – zakończyły się utratą Kujaw. Umierając w 1333 r., król pozostawił państwo jeszcze nieustabilizowane.

Polska Kazimierza Wielkiego (mapa)

MORZE BAŁTYCKIE

Wołogoszcz · Kołobrzeg · Słupsk · Gdańsk · Królewiec

Ks. Meklemburskie · Pomorze Zachodnie · Pomorze Gdańskie · Gniew · Elbląg · MALBORK · PAŃSTWO ZAKONU KRZYŻACKIEGO · Prusowie

Szczecin · Nowa Marchia · 1368 · Nakło · Chełmno · Toruń · Kujawy · 1351 · Dobrzyń · Rajgród · Niemen

Elektorat Brandenburgii · Santok · Warta · Gniezno · Brześć · Płock · Narew · WIELKIE KSIĘSTWO LITEWSKIE

BRANDENBURG · Frankfurt · Wielkopolska · Poznań · 1343 · Łęczyca · Mazowsze · 1351 · Drohiczyn · Bug · Brześć

Elektorat Saksonii · Odra · Kalisz · 1343 · Sieradz · Czersk · Rawa · Wisła · Pilica

Marchia Łużycka · Nysa · Głogów · Olesnica · 1339 · Lublin · Styr · Słucz

Miśnia · Legnica · Wrocław · Małopolska · Kazimierz · 1366 · Włodzimierz · Łuck · Wołyń

Marchia Miśnieńska · Budziszyn · Świdnica · Brzeg · Opole · Olsztyn · Chęciny · Sandomierz · San · Horyń

PRAGA · Łaba · Kłodzko · Nysa · Śląsk · Bytom · Będzin · 1344 · Ruś Halicka · Lwów · 1349

KRÓLESTWO CZESKIE · Ołomuniec · Opawa · Racibórz · Cieszyn · KRAKÓW · Czórsztyn · Przemyśl · Halicz · 1366 · Podole · Kamieniec Podolski · Dniestr

Brno · Morawy

KRÓLESTWO WĘGIERSKIE · Nitra

Dunaj · Księstwo Austriackie · Wiedeń · Pożoń · Cisa · Prut

Wyszehrad

Legenda

Polska Kazimierza Wielkiego

— granice państw w 1370 r.
— inne granice
— granice Polski w 1370 r.
— granice Cesarstwa Rzymskiego
- ziemie Korony Polskiej w 1333 r.
- ziemie przyłączone do Korony
- ziemie uzależnione od Korony
1366 rok przyłączenia ziem do Korony
pokój kaliski w 1343 r.
ważniejsze warownie

Kazimierz Wielki (1333–1370)

Kazimierz Wielki objął rządy w 1333 r., koronując się na króla Polski. W latach 1333–1343 starał się odzyskać tereny utracone na rzecz Krzyżaków, wreszcie w 1343 r. w Kaliszu zawarł z nimi pokój. Krzyżacy oddali ziemię dobrzyńską i Kujawy, ale zatrzymali ziemię chełmińską i Pomorze Gdańskie. Śląsk pozostał we władaniu królów czeskich. Sukcesem w polityce zagranicznej było odzyskanie części ziem zabranych przez Brandenburgię, podporządkowanie Mazowsza oraz podbój Księstwa Włodzimiersko-Halickiego i Podola (1340–1366).

Kazimierz Wielki sprzyjał lokowaniu miast i wsi. Poprawił obronność państwa, fortyfikując miasta oraz budując zamki i twierdze graniczne. Dzięki jego staraniom 12 maja 1364 r. otwarto pierwszą polską wyższą uczelnię – Akademię Krakowską.

Następcą bezpotomnego Kazimierza Wielkiego został jego siostrzeniec Ludwik Węgierski.

Collegium Maius Uniwersytetu Jagiellońskiego

Państwa Jagiellonów (XV w.)

granice państw ok. 1470 r.
inne granice
granice Cesarstwa Rzymskiego
ziemie Korony Polskiej ok. 1400 r.
ziemie przyłączone w XV w.
ziemie uzależnione od Polski
wyprawa Władysława III do Warny
układ w Krewie (1385)

**Godła
Polski i Litwy**

W latach 1370–1382 Polskę i Węgry łączyła unia personalna, jednak król Ludwik nie przebywał w Polsce. Umierając, pozostawił swoje ziemie dwóm młodym córkom. Polscy możni wybrali na władcę 10-letnią Jadwigę. Poślubiła Jagiełłę, starszego od niej o 20 lat władcę Litwy.

W 1385 r. w Krewie na Litwie ustalono warunki personalnej unii polsko-litewskiej. Oba państwa miały mieć wspólnego władcę. Jagiełło i wszyscy pozostający w pogaństwie Litwini mieli przyjąć chrzest. Zasady ustalone w Krewie potwierdzały późniejsze unie: wileńsko-radomska z 1401 r. i horodelska z 1413 r. Możni polscy i litewsko-ruscy tworzyli odtąd jedną warstwę, a jej przedstawiciele mieli takie same prawa i przywileje, a także te same herby.

Po śmierci Władysława Jagiełły jego synowie zasiedli na tronach Polski (Władysław) i Litwy (Kazimierz). W latach 1440––1444 Władysław rządził na Węgrzech. Drugą unię polsko-węgierską zakończyła w 1444 r. klęska w bitwie z Turkami pod Warną i śmierć króla. Władzę w Polsce objął Kazimierz. Jego najstarszy syn, Władysław, został wybrany w 1471 r. przez Czechów na króla, a w 1490 r. wybrali go na swego władcę Węgrzy. Panowanie Jagiellonów w Czechach i na Węgrzech skończyło się w 1526 r.

Jadwiga (1384–1399) i Władysław Jagiełło (1386–1434)

Chorągiew wielkiego mistrza krzyżackiego

Unia polsko-litewska z 1385 r. stanowiła zagrożenie dla połączonych zakonów rycerskich: Krzyżaków i Kawalerów Mieczowych. Wielcy mistrzowie zakonni starali się dokonać rozłamu w związku obu państw. Kolejne powstanie Żmudzinów przeciwko panowaniu krzyżackiemu przerodziło się w wielką wojnę z zakonem (1409–1411). Decydującym momentem była bitwa pod Grunwaldem, rozegrana 15 lipca 1410 r. Walka zakończyła się przegraną Krzyżaków i zawarciem pierwszego pokoju toruńskiego. Do Litwy wróciła Żmudź. Polska nic nie zyskała, ale państwo zakonne nie powróciło już do dawnej potęgi. Kolejne konflikty w latach 1414, 1419, 1422 potwierdzały przewagę państwa polsko-litewskiego.

Bitwa pod Grunwaldem (1410) – fragment obrazu Jana Matejki

Wojna trzynastoletnia z Zakonem Krzyżackim 1454–1466

—— granice państw w 1454 r.
—— inne granice
▭ Prusy Królewskie od 1466 r.
Elbląg miasta Związku Pruskiego do 1454 r.
✗ ⊙ ważniejsze bitwy i oblężenia
▭ pokój toruński w 1466 r.

**Malbork – stolica
państwa krzyżackiego**

W państwie krzyżackim rosła opozycja przeciw rządom zakonników, niewielkiej grupy uprzywilejowanych. W 1440 r. powstał Związek Pruski, skupiający niemieckie mieszczaństwo i rycerstwo. W państwie zakonnym wybuchło powstanie. Przywódcy opozycji poprosili króla polskiego o pomoc. Tak zaczęła się wojna trzynastoletnia (1454–1466). Na jej początku rycerstwo polskie, dowodzone przez króla, poniosło klęskę pod Chojnicami. Kazimierz Jagiellończyk zrezygnował z osobistego dowodzenia i skierował do walki wojsko złożone z zawodowych żołnierzy. Dzięki kłopotom finansowym Krzyżaków w ręce polskie przechodziły kolejne zamki. W 1462 r. wojska dowodzone przez wojewodę sandomierskiego Piotra Dunina zadały klęskę lądowej armii krzyżackiej pod Świecinem na Pomorzu, koło jeziora Żarnowiec. W roku następnym okręty Związku Pruskiego zwyciężyły flotę zakonną na Zalewie Wiślanym koło Elbląga. W 1466 r. podpisano drugi pokój toruński. Polska odzyskała ziemię chełmińską i Pomorze Gdańskie, zwane odtąd Prusami Królewskimi, zdobyła Malbork, Elbląg oraz biskupstwo Warmii. Reszta państwa krzyżackiego – Prusy Zakonne ze stolicą w Królewcu – stały się lennem króla Polski.

Europa w poł. XVI w.

— granice państw w 1556 r.
— inne granice
▬ granice Rzeszy Niemieckiej w 1555 r.
▬ granice Rzeczypospolitej w 1582 r.
kraje Habsburgów austriackich
kraje Habsburgów hiszpańskich
mniejsze państwa Rzeszy Niemieckiej
lenna tureckie
Siena większe ośrodki renesansu

„Anatomia człowieka"
Leonarda da Vinci

Katedra florencka
z kopułą
Bruneleschiego

MORZE NORWESKIE

Koło podbiegunowe północne

KRÓL. NORWEGII

KRÓL. SZWECJI

Zat. Bo.

Szetlandy

Hebrydy

Orkady

OSLO

Uppsala

SZTOKHOLM

Göteborg

Gotlandia

KRÓLESTWO SZKOCJI

Glasgow

Edynburg

MORZE PÓŁNOCNE

MORZE BA

Królestwo Irlandii

Dublin

KRÓLESTWO ANGLII

LONDYN

1588

Calais

KRÓL. KOPENHAGA DANII

Malmö

Hamburg

Brema

Szczecin

Gdańsk

Kró

Łaba

ELEKT. BRANDENBURGII

BERLIN

Poznań

Warta

RZ

Amsterdam

Niderlandy Hiszp.

Bruksela

Münster

Kolonia

Brunszwik

Wezera

Trewir

Frankfurt

Ren

Norymberga

ELEKT. SAKSONII

DREZNO

Wrocław

Praga

Król. Czeskie

KRÓL.

War

KRA

W-y Normandzkie

Sekwana

PARYŻ

ELEKT. PALATYNATU

Strasburg

Dunaj

Ks. Bawarii

Arcyks.

WIEDEŃ

Austrii

Król. Węgierskie

Bud

Nantes

Loara

Blois

KRÓL. FRANCJI

BERNO

SZWAJCARIA

Genewa

Mediolan

Drawa

Zatoka Biskajska

Bordeaux

Lyon

Ks. SABAUDII

TURYN

WENECJA

REP. WENECKA

Sawa

Porto

Duero

Tuluza

Ks. PARMA

Awinion

GENUA

MODENA

Bośnia

Zadar

Se

Lizbona

KRÓL. PORTUGALII

Tag

KRÓL. HISZPANII

Ebro

MADRYT

Marsylia

ANDORA

Barcelona

FLORENCJA

SIENA

PAŃSTWO KOŚCIELNE

RZYM

MORZE ADRIATYCKIE

RAGUZA

CETYNIA

Ks. CZARNOG

Gwadiana

Toledo

Baleary

Ajaccio

Korsyka

Benewent

Neapol

PAŃSTWO KRÓL. Neapolu

Bari

Sewilla

MORZE TYRREŃSKIE

Cagliari

Sardynia

MORZE

Korfu

Wyspy Jońs

Tanger

Ceuta (hiszp.)

Peñón de Valéz

Melilla

Oran

Algier

FEZ

SUŁTANAT MAROKA

Algieria

Tunis

SUŁTANAT TUNISU

Palermo

Król. Sycylii

MORZE JOŃSKIE

Malta

Ś

RÓ

Bazylika św. Piotra w Rzymie z kopułą Michała Anioła

Wiek XVI zwany jest epoką odrodzenia. Wówczas w centrum zainteresowania postawiono człowieka i wszelkie strony jego działalności, położono nacisk na nauczanie kultury antycznej: łaciny, greki, prawa rzymskiego i historii. Artyści, wspierani przez mecenasów (papieży, wyższe duchowieństwo, władców państw), tworzyli wspaniałe dzieła.

Odrodzenie zmieniło również poglądy na państwo i politykę. W wielu krajach władca rządził dzięki sprawnie działającej biurokracji państwowej, utrzymującej porządek dzięki wsparciu zawodowej armii uzbrojonej w broń palną. Na polu bitwy coraz większą rolę odgrywała piechota. Pojawiły się nowe potęgi: państwo Habsburgów, tureckie Imperium Osmańskie i carstwo moskiewskie.

„Autoportret" Leonarda da Vinci

Habsburgowie, dzięki udanym układom politycznym oraz małżeństwom, powiększali swoją dziedzinę, jak na przykład Karol V. Wiek XVI przyniósł kolejny etap ekspansji tureckiej w Europie. Powstrzymała ją połączona flota państw chrześcijańskich, odnosząc zwycięstwo w bitwie morskiej pod Lepanto w 1571 r. Władca państwa moskiewskiego Iwan III ogłosił Moskwę Trzecim Rzymem, a jeden z jego następców, Iwan IV Groźny, koronował się na cara, czyli cesarza, w 1547 r.

„Mona Lisa" Leonarda da Vinci

Rzeczpospolita w XVI w.

— granice państw w 1582 r.
— inne granice
▬ granice Rzeczypospolitej w 1582 r.
▬ granice Rzeszy Niemieckiej
▦ Korona Królestwa Polskiego do 1569 r.
▦ Wielkie Księstwo Litewskie do 1569 r.
▦ obszary przyłączone do Korony w 1569 r.
▦ lenna Korony
▦ Inflanty pod wspólnym zarządem Polski i Litwy od 1561 r.
Zamość — ważniejsze ośrodki renesansu
┈ granica okupacji moskiewskiej w 1570 r.
→ działania wojsk polskich w latach 1579–1581
✕ ☐ ważniejsze bitwy i traktaty

Rewal

Estonia
(1561 do Szwecji)

Narwa

Dago

J. Pejpus

Nowo

Parnawa

Dorpat

Ozylia

Psków
1581

Inflanty
(1561 do Rzeczypospolitej)

Wenden

Ryga

Dźwina

Ks. Kurlandii

Lipawa

Dyneburg

Szawle

Dzisna

Wornie

Żmudź

Połock
1579

Memel

Niemen

Kowno

Świr

Czaśn

MORZE BAŁTYCKIE

Bornholm

Królewiec

WILNO 1561

Ben

Lebork

Prusy Książęce

Słupsk

Gdańsk

Braniewo

Grodno

Mińsk

Kołobrzeg

Bytów

Prusy Królewskie

Elbląg

Nowogródek

Pomorze Zach.

Szczecin

Brandenburgia

Toruń

Narew

Podlasie

WIELKIE KSIĘSTWO LITE

Warta Gniezno

Kujawy

Płock

Mazowsze

Bug

Prypeć

Frankfurt

Poznań

KORONA KRÓLESTWA

Warszawa

Brześć Litewski

Pińsk

Odra

Wielkopolska

Wisła

Łużyce

Kalisz

Sieradz

Pilica

Styr

Wołyń

Zwiah

Legnica

Budziszyn

Piotrków

Lublin 1569

Wrocław

Śląsk

Opole

Częstochowa

Zamość

Łuck

Ostróg

POLSKIEGO

Kłodzko

Małopolska

Sandomierz

San

Horyń

Praga

Opawa

1525

Zbaraż

Król. Czeskie

Ołomuniec

Cieszyn

KRAKÓW

Lwów

Przemyśl

Trembowla

Brno

Morawy

Podole

Spisz

Halicz

Obertyn
1531

Kamieniec Podolski

Koszyce

...cyksięstwo

KRÓLESTWO WĘGIERSKIE

Mołdawia

Prut

PRESZBURG

...WIEDEŃ

Cisa

...reczyn

IMPERIUM OSMAŃSK...

PIESNI
IANA
KOCHANOWSKIEGO
Księgi dwoie.

Literatura Jana Kochanowskiego
i nauka Mikołaja Kopernika są symbolami
złotego wieku Rzeczypospolitej

Wiek XVI w historii Polski nazywany jest często złotym wiekiem. W tym czasie narodził się ustrój Rzeczypospolitej szlacheckiej. Ostatecznie uformował się sejm – najważniejszy organ państwowy, od którego zgody zależało uchwalenie podatków, wypowiedzenie wojny i zawarcie pokoju, kontrola urzędników królewskich, nadawanie szlachectwa, sądzenie za zbrodnie stanu i przestępstwa urzędnicze. W 1569 r. między Koroną a Litwą zawarto unię lubelską. Była to unia realna: oba kraje połączyła osoba władcy, wspólna elekcja (wybór władcy), wspólne prawa i przywileje szlacheckie oraz sejm. Osobne pozostawały skarb, urzędy, wojsko. Po śmierci Zygmunta II Augusta (1548–1572) na sejmie konwokacyjnym ustalono zasady elekcji. Wybór władcy miał się odtąd odbywać na sejmie elekcyjnym. W ciągu 15 lat wybierano króla trzykrotnie: w 1573 r. Francuza Henryka Walezego, w 1575 r. Annę Jagiellonkę i jej męża Węgra Stefana Batorego, a w 1587 r. Szweda Zygmunta III Wazę. Władców pochłaniały polityka dynastyczna i polityka morska, zmierzająca do poszerzenia stanu posiadania nad Bałtykiem. W wojnie lat 1519–1521 pokonano zakon krzyżacki, a ostatni wielki mistrz stał się lennikiem króla Polski, co podkreśliła ceremonia hołdu pruskiego w Krakowie w 1525 r. W 1561 r. rozszerzono władanie na Kurlandię i Inflanty.

„Hołd pruski" (1525) – fragment obrazu Jana Matejki

Król Stefan Batory pod Pskowem w 1581 r. – fragment obrazu Jana Matejki

Zaprzysiężenie unii lubelskiej przez króla Zygmunta Augusta w 1569 r. – fragment obrazu Jana Matejki

Namiot królewski na polu elekcyjnym – fragment obrazu Jana Matejki

Podział wyznaniowy Europy
w końcu XVI w.

——— granice państw w 1598 r.
——— inne granice
——— granice Rzeszy Niemieckiej w 1555 r.
——— granice Rzeczypospolitej w 1596 r.
Obszary z przewagą wyznania:
- katolickiego
- luterańskiego
- kalwińskiego
- anglikańskiego
- prawosławnego
- islamskiego
- husyckiego (bracia czescy)
- wojny religijne
- traktaty, manifesty i unie wyznaniowe

W 1517 r. doktor teologii uniwersytetu w Witten-berdze, ksiądz Marcin Luter, ogłosił 95 tez przeciwko sprzedaży odpustów. Był to początek ruchu religijne-go zwanego reformacją, który doprowadził w Europie zachodniej i środkowej do powstania nowych wyznań chrześcijańskich, nieuznających władzy papieża. We Francji Jan Kalwin zerwał z kościołem katolickim, tworząc wyznanie nazwane od jego twórcy kalwini-zmem. Uporządkowaniem spraw religijnych w Ko-ściele rzymskokatolickim zajął się sobór trydencki, obradujący z przerwami w latach 1545–1563. Ustalono nowe wyznanie wiary, katechizm i mszał. Wzmocniono dyscyplinę wśród duchowieństwa, a także uznano konieczność nauczania dziewcząt i katechizacji dzieci.

Według tradycji Marcin Luter przybił swoje tezy na drzwiach kościoła w Wittenberdze (1517)

W XVI w., pod wpływem reformacji, w Rzeczypospolitej znaleźli się wyznawcy luteranizmu i kalwinizmu. Król Zygmunt I Stary starał się przeciwstawić reformacji – ale bezskutecznie. Wolność wyznaniowa była postrzegana przez szlachtę jako jedna z najważniejszych wolności szlacheckich. Zygmunt II August prowadził więc tolerancyjną politykę. Jej ukoronowaniem był akt konfederacji warszawskiej, uchwalony w 1573 r. po śmierci króla. Potwierdzał on prawo do wolności wyznania w Rzeczypospolitej.

Akt konfederacji warszawskiej

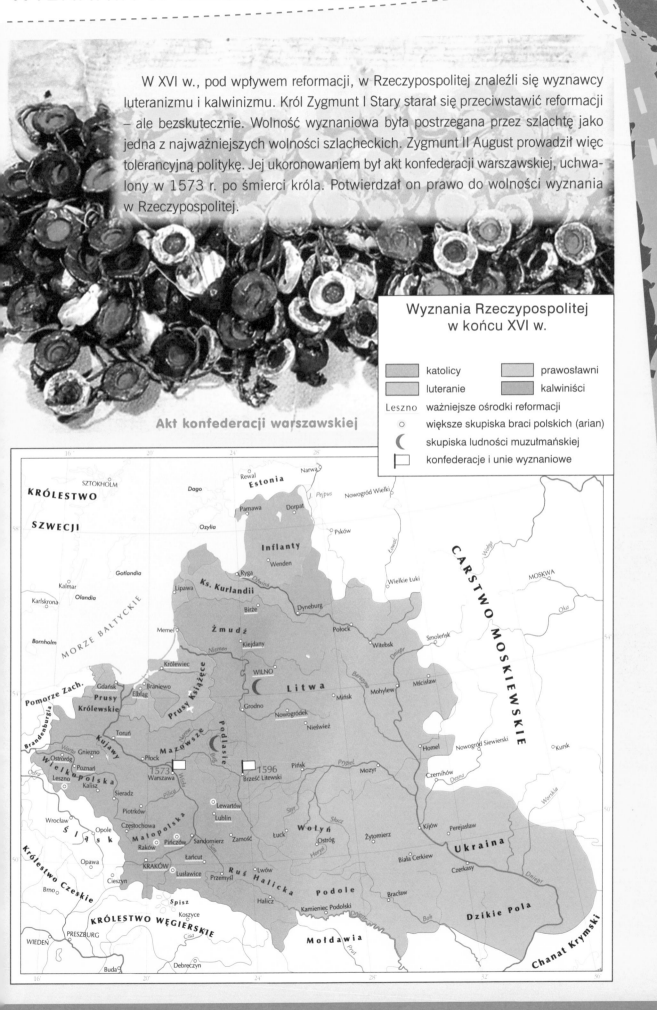

Wyznania Rzeczypospolitej w końcu XVI w.

- katolicy
- prawosławni
- luteranie
- kalwiniści
- Leszno — ważniejsze ośrodki reformacji
- ○ większe skupiska braci polskich (arian)
- ☾ skupiska ludności muzułmańskiej
- ▭ konfederacje i unie wyznaniowe

Europa w poł. XVII w.

— granice państw w 1648 r.
— inne granice
— granice Rzeszy Niemieckiej w 1648 r.
▭ mniejsze państwa Rzeszy Niemieckiej
▭ kraje Habsburgów austriackich
▭ kraje Habsburgów hiszpańskich

Król Francji Ludwik XIV (1643–1715) był uosobieniem swojej epoki. Nazywano go Królem Słońce

Oszałamiająco ozdobna i kolorowa była też barokowa moda, którą możemy podziwiać m.in. na obrazach Diega Velázqueza

Wersal

OCEAN ARKTYCZ

Islandia (duń.)
Rejkiawik

W-y Owcze (duń.)

Szetlandy

Lofot

KRÓL. NORWEGII
KRÓL. S
Bergen
CHRISTIANIA
Stavanger
Göteborg

MORZE PÓŁNOCNE

KRÓL. KOPENHAGA DANII
Malmö
Lübeka
Szczecin

O C E A N   A T L A N T Y C K I

Hebrydy
Orkady

KRÓLESTWO SZKOCJI
Glasgow
Belfast
Edynburg

Królestwo Irlandii
Dublin

KRÓLESTWO ANGLII
Liverpool
LONDYN

HAGA
REP. NIDERLANDÓW
Bruksela
Niderlandy Hiszp.
Kolonia
Trewir

Hamburg
Brema
Hanower
Münster
Dortmund
Frankfurt
Moguncja
ELEKT. PALATYNATU

ELEKT. BRANDENBURG
BERLIN
ELEKT. SAKSONII
DREZNO
Praga
Król. Czes

W-y Normandzkie

Zatoka Biskajska

Orlean
Nantes
Loara
Tours
Sekwana
PARYŻ Nancy
Dijon
Strasburg
KRÓL. FRANCJI
Lyón
Ren
Men

ELEKT. BAWARII
MONACHIUM
WIEDEŃ
Austrii
Drawa
BERNO
SZWAJCARIA
Genewa
Hr. Tyrolu
Arcyks

La Coruña
Porto
Bilbao
Duero
LIZBONA
KRÓL. PORTUGALII
Tag
KRÓL. HISZPANII
MADRYT
Toledo
Walencja
Ebro
Barcelona
Gwadiana
Sewilla
Malaga
Tanger
Ceuta (hiszp.)
Peñón de Valéz
Rabat
FEZ
SUŁTANAT MAROKA
Melilla
Oran
Algier

Tuluza
Marsylia
ANDORA

Awinion
Rodan
KS. SABAUDII
TURYN
MEDIOLAN
MANTUA
PARMA
MODENA
GENUA
LUKKA
FLORENCJA
Hr. Charolais (hiszp.)
Franche Comté

REP. WENECKA
Zada
MORZE ADRIA
PAŃSTWO KOŚCIELNE
RZYM
Ajaccio
Korsyka
Benewent
NEAPOL
PAŃSTWO Król. Neapolu
Cagliari
Sardynia
MORZE TYRREŃSKIE
PALERMO
Król. Sycylii

B a l e a r y

M O R Z E   Ś R Ó D Z I E M N E

Tunis
A l g i e r i a

na zachód od Greenwich   0°   na wschód od Greenwich

Wiek XVII to epoka, w której dominowała kultura baroku. Kościoły, ołtarze, rzeźby, obrazy, freski, muzyka kościelna miały ukazywać wielkość i potęgę katolicyzmu. W krajach rządzonych przez Habsburgów oraz we Francji wznoszono okazałe rezydencje, spośród których najwspanialszy jest podparyski Wersal. Wiek XVII był też wiekiem wojen. W latach 1618–1648 toczyła się wojna trzydziestoletnia, która zakończyła marzenia Habsburgów o zbudowaniu potęgi europejskiej. Do wojen o panowanie nad Bałtykiem stanęła Szwecja. Turcja w latach 70. podjęła ostatnią próbę podporządkowania sobie nowych terenów, co zakończyło się jej klęską pod Wiedniem w 1683 r. i wyrzuceniem Turków z Węgier. W drugiej poł. XVII w. Francja pod rządami Ludwika XIV – Króla Słońce – osiągnęła szczyt potęgi. Liczne ziemie podbijało carstwo moskiewskie rządzone przez nową dynastię Romanowów. Widać było zmierzch potęgi Hiszpanii i Rzeczypospolitej – skutek trwających wojen.

Bojar moskiewski

Dostojnicy osmańscy

Sułtan turecki Mehmed IV (1648–1687) władał ogromnym Imperium Osmańskim, które zagrażało chrześcijańskiej Europie

Rzeczpospolita w XVII w.

granice państw w 1618 r.
inne granice
granice Rzeczypospolitej w 1699 r.
granice Rzeszy Niemieckiej
Korona Królestwa Polskiego w 1618 r.
Wielkie Księstwo Litewskie w 1618 r.
obszary przyłączone do Litwy w 1619 r.
obszary przyłączone do Korony w 1619 r.
lenna Korony
działania wojsk polskich
ważniejsze bitwy i traktaty

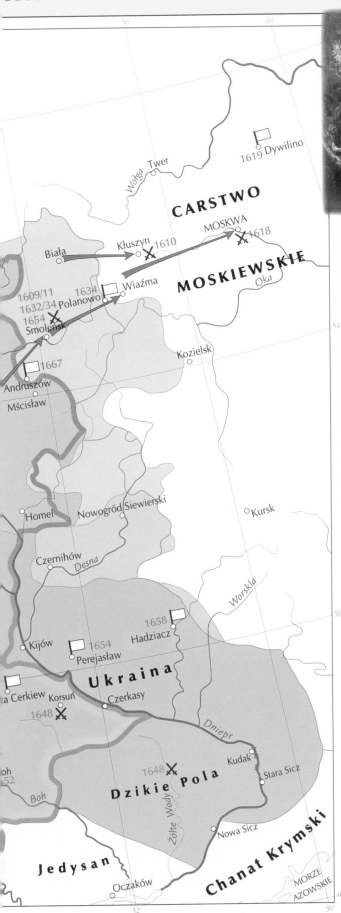

Mikołaj Zebrzydowski i rokoszanie przed królem

W czasach króla Zygmunta III Wazy (1587–1632) nastąpił wzrost roli magnaterii, która zdominowała gospodarczo i politycznie szlachtę.

W połowie XVII w. rozpoczął się zmierzch potęgi Rzeczypospolitej. Liczne wojny z lat 1648–1667, które niemal pokrywały się z panowaniem króla Jana II Kazimierza, doprowadziły do strat terytorialnych, zniszczenia kraju, kryzysu gospodarczego, wyludnienia. Kryzys polityczny, przejawiający się głównie w pierwszym zerwaniu sejmu w 1652 r., unaocznił konieczność przeprowadzenia reform. W XVIII w. wolne elekcje i *liberum veto* stały się jedną z przyczyn upadku państwa polsko-litewskiego.

Na przełomie XVII i XVIII w. rozwijała się kultura szlachecka zwana sarmatyzmem. Dostrzeganie wyjątkowości ustroju Rzeczypospolitej, niechęć do cudzoziemców i umiłowanie tego, co rodzime, łączyły szlachtę polską, litewską i ruską wokół jednego państwa. Wtedy też pojawiła się idea Rzeczypospolitej będącej przedmurzem chrześcijaństwa.

Bohdan Chmielnicki z Tuhaj Bejem pod Lwowem – fragment obrazu Jana Matejki

KRÓL. NORWEGII

CHRISTIANIA

KRÓL. SZWECJI

Helsingfors
Wyborg

Nowogród
Wielki

Onega

J. Ładoga

Rewel
Narwa

SZTOKHOLM

Estonia

Pejpus

Psków

Wołga

Gotlandia

Göteborg

Inflanty

1604

Ryga

CARSTWO MOSKIEWSKIE

KRÓL.
KOPENHAGA
DANII

Malmö

MORZE BAŁTYCKIE

Ks. Kurlandii

1655

Dźwina

1609, 1618

MOSKWA

1632, 1654

Niemen

WLK. KS.
Wilno
LITEWSKIE

Smoleńsk

Oka

Hamburg 1658

Królewiec

Łaba

BRANDENBURGII

Gdańsk

Ks. Pruskie

1655

RZECZPOSPOLITA

Wisła

Prypeć

Desna

Don

ELEKT.
BERLIN
Poznań

Odra

ELEKT.
SAKSONII

Wezera

WARSZAWA

Bug

Wrocław

KORONA KRÓLESTWA

Kijów

Dniepr

1683

Kraków

POLSKIEGO

Men

MONARCHIA

Praga

Lwów

Ukraina

ELEKT.
BAWARII

Dunaj

1620

Dniestr

1672

Zaporoże

MONACHIUM
WIEDEŃ

Ks. Siedmiogrodzkie

Ks. Mołdawskie

Dniepr

Chanat Krymski

HABSBURSKA

Drawa

Buda

Jassy

MORZE
AZOWSKIE

Prut

WENECJA

Sybin Wlk.

Bakczysaraj

REP. WENECKA

Sawa

Temeszwar

Bukareszt

PAŃSTWO
KOŚCIELNE

Zadar

Sarajewo

Belgrad

Ks. Wołoskie

MORZE CZARNE

MORZE ADRIATYCKIE

Dunaj

Raguza
Ks.
CZARNOGÓRY

IMPERIUM OSMAŃSKIE

Warna

Synopa

RZYM

Król. Neapolu

CETYNIA
Durazzo

STAMBUŁ

Benewent

Kizilirmiak

Neapol
Bari

Położenie międzynarodowe Rzeczypospolitej w XVII w.

— granice państw w 1648 r.
— inne granice
▦ sojusznicy Rzeczypospolitej
▦ przeciwnicy Rzeczypospolitej
▦ państwa o zmiennej orientacji
→ działania wojsk polskich za granicą
→ działania wojsk nieprzyjacielskich

Atak husarii pod Kircholmem (1605)

Hetman Jan Karol Chodkiewicz pod Chocimiem (1621)

Wśród wojen prowadzonych przez Polskę w XVII w. na plan pierwszy wysuwa się konflikt ze Szwecją. Walki rozpoczęły się od próby odzyskania tronu szwedzkiego przez Zygmunta III Wazę zdetronizowanego przez protestanckich Szwedów za ostentacyjnie wyznawany katolicyzm.

Ze wszystkich konfliktów polsko-szwedzkich najbardziej niszczycielski był tzw. potop (1655––1660). Omal nie doszło wówczas do zagłady Rzeczypospolitej. W 1660 r. podpisano pokój w Oliwie. Rzeczpospolita traciła Inflanty na rzecz Szwecji i uznawała niezależność Prus Książęcych. Konflikty pokazały też, że Rosja, jej wschodni sąsiad, jest nową potęgą, która zagraża coraz bardziej Rzeczypospolitej, Szwecji i Turcji. Wojny z Turcją w pierwszej połowie XVII w. były wywołane najazdami „formalnie podległych Polsce" Kozaków na Imperium Osmańskie i Tatarów na tereny polskie. Konflikty osłabiły Rzeczpospolitą, która nie była zdolna do prowadzenia aktywnej polityki zagranicznej.

Okręty polskie i szwedzkie w bitwie pod Oliwą (1627)

Król Jan III Sobieski pod Wiedniem w 1683 r.

Hetman Stanisław Żółkiewski na czele husarii

Europa w poł. XVIII w.

——— granice państw w 1763 r.
——— inne granice
▬▬▬ granice Rzeszy Niemieckiej w 1763 r.
▨ mniejsze państwa Rzeszy Niemieckiej
▨ obszary przyłączone do Rosji w 1721 r.
▨ Śląsk zdobyty przez Prusy w 1742 r.
✕ ważniejsze bitwy
▢ traktat w Nystad (1721)

Wolter   Jean Jacques Rousseau

**Cesarzowa Maria Teresa
(1745–1780)**

**Car Piotr I
Wielki**

Wiek XVIII to czasy oświecenia. Nawiązywało ono do odrodzenia. Wywodzący się z bogatego mieszczaństwa prekursorzy tego prądu kulturowego głosili kult nauki i rozumu, krytykowali arystokrację oraz przywileje stanowe. Wydawano książki, gazety i broszury propagujące nowe poglądy. Ideałem był człowiek wykształcony, znający obce kraje, umiejący się znaleźć w towarzystwie, żyjący według praw powszechnie przyjętych, czyli naturalnych. Powstawały nowe projekty zreformowania państwa i społeczeństwa w duchu racjonalizmu. Wielkim uznaniem cieszyli się: François Marie Arouet, znany jako Wolter, Jean Jacques Rousseau, Denis Diderot, Charles Montesquieu zwany Monteskiuszem. Monarchowie w tym czasie kończyli kształtowanie monarchii absolutnych. Panującego w Rosji cara Piotra I, cesarzową Marię Teresę i króla Prus Fryderyka Wielkiego łączyło wiele podobieństw w dziedzinie polityki. Troszczyli się o szkolnictwo, zaniechali stosowania tortur w śledztwie i okrutnych kar, reformowali sądownictwo i kodyfikowali prawo. Wprowadzając tolerancję religijną, starali się podporządkować struktury kościelne osobie władcy, a także dbali o poddanych, którzy pracowali, płacili podatki i służyli w armiach.

**Fryderyk Wielki
(1740–1786)**

Rzeczpospolita do 1772 r.

— granice państw w 1764 r.
— inne granice
— granice Rzeczypospolitej
Korona Królestwa Polskiego
Wielkie Księstwo Litewskie
▶ zawiązanie konfederacji barskiej w 1768 r.

Ważniejsze ośrodki gospodarcze

Staropolski Okręg Przemysłowy
hutnictwo i odlewnictwo metali
skupiska manufaktur różnych
tkactwo wiejskie
kopalnie węgla i soli
kanały z datą otwarcia
porty morskie

August III
(1733–1763)

August II Mocny
(1697–1733)

Po śmierci Jana III Sobieskiego królem został w 1697 r. elektor niemieckiej Saksonii August II Mocny (1697–1733). Realizując swoje ambitne plany dynastyczne, wplątał on Rzeczpospolitą w wojnę przeciw Szwecji, która spowodowała ogromne zniszczenia, wewnętrzne konflikty i wielkie osłabienie państwa. W efekcie Rzeczpospolita stała się protektoratem Rosji. Jej carem był wówczas wybitny polityk i wielki reformator, Piotr I.

Po śmierci Augusta II Rosja i Saksonia narzuciły swojego kandydata na króla, syna zmarłego władcy – Augusta III (1733––1763). Podczas jego panowania postępował dalszy upadek Rzeczypospolitej. Kraj był podzielony pomiędzy rywalizujące ze sobą stronnictwa magnackie.

Stanisław Konarski

Rzeczpospolita oświecona

— granice państw w 1773 r.
— inne granice
— granice Rzeczypospolitej do 1772 r.
☐ Korona w latach 1772 – 1792
☐ Wlk. Ks. Litewskie w latach 1772 – 1792
⬛ ważniejsze ośrodki kultury i nauki
⬛☐☐ szkoły Komisji Edukacji Narodowej: główne, wydziałowe i podwydziałowe
⊞ szkoły wyższe w zaborze austriackim

Lata unii polsko-saskiej są też początkiem oświecenia w Rzeczypospolitej i odrodzenia myśli politycznej. Jedną z czołowych postaci tego okresu był Stanisław Konarski, który w 1740 r. założył w Warszawie szkołę dla synów szlacheckich – Collegium Nobilium. Nauczano w niej według najnowszych wzorców oświeceniowych. Kilkanaście lat później na wzór Collegium Nobilium zreformowały swoje szkoły zakony pijarów i jezuitów. W 1765 r. król Stanisław August Poniatowski utworzył własną placówkę edukacyjną – Szkołę Rycerską, w której mieli się kształcić oficerowie i urzędnicy państwowi.

Ukoronowaniem tych starań było utworzenie w 1773 r. Komisji Edukacji Narodowej, jednego z pierwszych na świecie ministerstw oświaty. Powstawały towarzystwa naukowe, drukarnie, rozpoczęto wydawanie czasopism.

Hugo Kołłątaj

Po śmierci Augusta III w 1763 r. caryca Katarzyna II narzuciła swojego kandydata na króla – Stanisława Augusta Poniatowskiego (1764–1795). Próby przeprowadzenia w Rzeczypospolitej reform spotkały się z oporem Rosji i Prus. Niezadowolenie z króla posłusznego carycy doprowadziło do zawiązania w 1768 r. w miasteczku Bar na Podolu konfederacji w obronie wiary katolickiej i wolności szlacheckich. Walka pospolitego ruszenia szlacheckiego z regularnymi woj-

Traktat rozbiorowy

skami rosyjskimi musiała być skazana na niepowodzenie. Niemniej walki toczyły się przez kilka lat. W 1772 r. Rosja, Prusy i Austria dokonały zaboru części terytorium Rzeczypospolitej. Rozbiór miał potwierdzić sejm, co nadawałoby działaniom zaborców pozory legalności. Do zatwierdzenia rozbioru nie chciał dopuścić Tadeusz Rejtan, który wraz z towarzyszami próbował zerwać sejm i uniemożliwić podpisanie haniebnego traktatu. Pomimo tego układ został podpisany.

Rejtan – fragment obrazu Jana Matejki

Katarzyna caryca Ros (1762–1796 i Stanisław Augus Poniatowsk król Pols (1764–1795 w stro koronacyjny

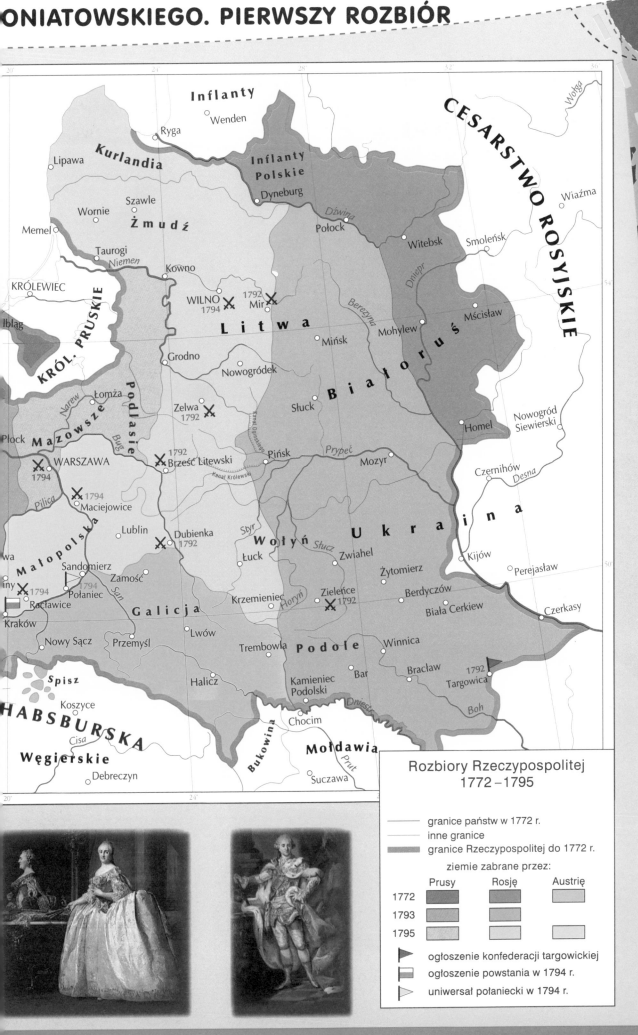

Inflanty

Wenden

Ryga

Lipawa

Kurlandia

Inflanty
Polskie

Dyneburg

CESARSTWO ROSYJSKIE

Wiaźma

Wornie

Szawle

Żmudź

Memel

Taurogi

Niemen

Dźwina

Połock

Witebsk

Smoleńsk

Dniepr

KRÓLEWIEC

Kowno

WILNO
1794

1792
Mir

Berezyna

Mohylew

Mścisław

Iblag

KRÓL. PRUSKIE

Grodno

Nowogródek

L i t w a

Mińsk

B i a ł o r u ś

Płock

Narew

Łomża

Podlasie

Zelwa
1792

Kanał Ogińskiego

Słuck

Homel

Nowogród
Siewierski

Mazowsze

Bug

1792
Brześć Litewski

Pińsk

Prypeć

Mozyr

Czernihów

Desna

WARSZAWA
1794

Kanał Królewski

Pilica

1794

Maciejowice

Lublin

Dubienka
1792

Styr

W o ł y ń

Słucz

U k r a i n a

Łuck

Zwiahel

Kijów

Perejasław

Małopolska

Sandomierz

Zamość

1794
Połaniec

San

iny 1794

Racławice

Kraków

G a l i c j a

Krzemieniec

Horyń

Zieleńce
1792

Berdyczów

Biała Cerkiew

Żytomierz

Czerkasy

Nowy Sącz

Przemyśl

Lwów

Trembowla

P o d o l e

Winnica

Bracław

1792
Targowica

Spisz

Koszyce

HABSBURSKA

Cisa

Węgierskie

Halicz

Kamieniec
Podolski

Bar

Dniestr

Chocim

Boh

Bukowina

Mołdawia

Prut

Debreczyn

Suczawa

Rozbiory Rzeczypospolitej
1772–1795

— granice państw w 1772 r.

— inne granice

— granice Rzeczypospolitej do 1772 r.

ziemie zabrane przez:

	Prusy	Rosję	Austrię
1772			
1793			
1795			

▶ ogłoszenie konfederacji targowickiej

▭ ogłoszenie powstania w 1794 r.

▷ uniwersał połaniecki w 1794 r.

Uchwalenie Konstytucji 3 maja 1791 r.

Zwycięzca spod Zieleniec (1792),
książę Józef Poniatowski,
20 lat później, jako dowódca
armii Księstwa Warszawskiego

Zmiana sytuacji między-narodowej pod koniec lat 80. XVIII w. zdawała się sprzyjać Rzeczypospolitej. Zmarł jeden z jej wrogów – król pruski Fry-deryk Wielki. Austria i Rosja szykowały się do wojny z Tur-cją. Caryca Katarzyna II zgo-dziła się na propozycję króla Stanisława Augusta Ponia-towskiego, by zwołać sejm. Miał on wprowadzić reformy umożliwiające wystawienie armii, która wspierałaby dzia-łania wojsk rosyjskich. Sejm zebrał się w 1788 r. i podjął kroki zmierzające do zrzuce-nia zwierzchnictwa Rosji.

USTAWA RZĄDOWA.

PRAWO UCHWALONE.

Dnia 3 Maia, Roku 1791.

w WARSZAWIE,
u P. Dufour Konsyl: Nadw: J. K. Mci
i Dyrektora Druk: Korp: Kad:

Pierwsze wydanie Konstytucji 3 maja

Król Stanisław August Poniatowski za zasługi wojenne w trakcie wojny z Rosją ustanowił order Virtuti Militari. Pierwotnie miał on kształt owalnego medalu

Wypowiedziano układ z Rosją, zażądano wycofania wojsk rosyjskich z Rzeczypospolitej i podjęto decyzję o powiększeniu liczebności armii do 100 000 żołnierzy. Wreszcie 3 maja 1791 r., w atmosferze zamachu stanu, wykorzystując nieobecność prorosyjskich posłów i senatorów, uchwalono ustawę zasadniczą, czyli Konstytucję 3 Maja. Znosiła ona elekcję i wprowadzała tron dziedziczny. Ustanawiała rząd i reformowała sądownictwo. Zlikwidowano *liberum veto*, prawo do rokoszu i konfederacji. Prawa polityczne otrzymali mieszczanie, utraciła je natomiast szlachta nieposiadająca majątku ziemskiego. Zniesiono podział na Koronę i Litwę, wprowadzając jedność państwa. Była to zatem realna unia polsko-litewska.

Wojna polsko-rosyjska skończyła się w 1792 r., gdy król przystąpił do konfederacji targowickiej. W efekcie w 1793 r. Rosja i Prusy dokonały drugiego rozbioru Polski.

Krzyż Virtuti Militari

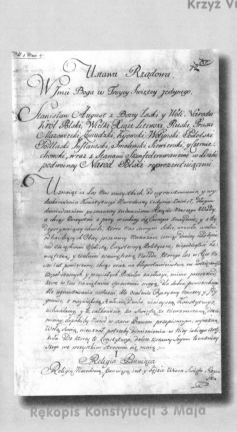

Rękopis Konstytucji 3 Maja

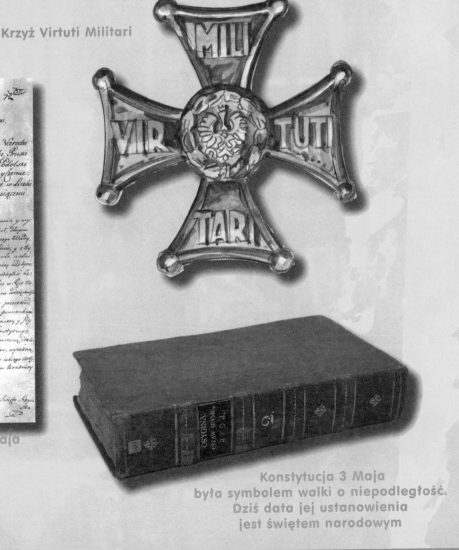

Konstytucja 3 Maja była symbolem walki o niepodległość. Dziś data jej ustanowienia jest świętem narodowym

Zwycięskie wojsko Tadeusza Kościuszki
pod Racławicami, 4 IV 1794 r.

Wobec realnej groźby całkowitej likwidacji państwa polskiego patrioci rozpoczęli przygotowania do powstania. Wybuchło ono w 1794 r. Wybrany na naczelnika powstania generał Tadeusz Kościuszko złożył w Krakowie przysięgę. Powołano pod broń chłopów, którzy mieli wspomóc w walce szczupłe siły wojskowe. Wkrótce, 4 IV, maszerująca na Warszawę armia powstańcza napotkała koło miejscowości Racławice siły rosyjskie. Powstańcy odnieśli zwycięstwo. 18 IV wypędzono Rosjan z Warszawy, a 24 IV z Wilna. Jednak 10 X pod Maciejowicami powstańcy ponieśli ostateczną klęskę, a Tadeusz Kościuszko dostał się do niewoli. Po rzezi Pragi, czyli zdobyciu prawobrzeżnej Warszawy, stolica skapitulowała. W połowie listopada 1794 r. powstanie upadło. 24 X 1795 r. podpisano trzeci układ rozbiorowy, likwidujący całkowicie Rzeczpospolitą. Król abdykował.

Trzeci rozbiór był końcem I Rzeczypospolitej. Sprawa polska miała łączyć zaborców aż do początku XX w.

Przysięga Tadeusza Kościuszki

Rzeź Pragi

Dokumenty z czasów
powstania kościuszkowskiego

Odwrót Wielkiej Armii
spod Moskwy (1812)

MORZE NORWESKIE

KOŁO podbiegunowe północne

W-y Owcze
(duń.)

Szetlandy

Hebrydy

Orkady

Bergen

KRÓL. NORWEGII

KRÓL. SZWECJI

CHRISTIANIA

SZTOKHOL

Stavanger

Göteborg

Go

OCEAN ATLANTYCKI

Edynburg

MORZE PÓŁNOCNE

ZJEDNOCZONE KRÓLESTWO

WIELKIEJ BRYTANII

I IRLANDII

Dublin

Liverpool

LONDYN

KRÓL.
KOPENHAGA
DANII

Malmö

Lubeka
Hamburg

Gdańsk

MORZ

Amsterdam

Brema

Hanower

BERLIN

KRÓL. PR

W-y Normandzkie

Król. Holandii

Bruksela

Dortmund

Kolonia

Moguncja

Frankfurt

Związek Reński

Lipsk

Drezno

Poznań

Ks

W

Wrocław

Praga

Czechy

Austerlitz

Warta

Odra

Łaba

1813

1806

1815

Waterloo

PARYŻ

Orlean

Loara

Sekwana

Nantes

Tours

Strasburg

Dijon

Ren

1805

Ulm

Monachium

WIEDEŃ

1809

Dunaj

CESARSTWO

Zatoka
Biskajska

Bordeaux

Lyon

BERNO
Szwajcaria

Genewa

MEDIOLAN

Wenecja

Król. Ilir yjskie

Drawa

Sawa

Król.

La Coruña

1800

Marengo

Genua

Pad

Król. Włoch

Sarajewo

Bośnia

Porto

1808

Duero

Saragossa

Samosierra

Ebro

Andora

Marsylia

Florencja

MORZE ADRIATYCKIE

Zadar

Raguza

LIZBONA

KRÓL. PORTUGALII

MADRYT

KRÓL.

Barcelona

Ajaccio

Korsyka

Rzym

Król. Neapolu

CZAR
CETYNIA
Dura

Tag

Gwadiana

Hiszpanii

Toledo

Walencja

Baleary

KRÓL.
SARDYNII

NEAPOL

Bari

Sewilla

Malaga

Cagliari

MORZE

Przyl. Trafalgar

1805

Gibraltar (br.)

Tanger

Ceuta
(hiszp.)

Melilla

Oran

Algier

Sardynia

TYRREŃSKIE

Palermo

Messyna

MORZ

Peñón de Valéz

Rabat

FEZ

SUŁTANAT MAROKA

ALGIERIA

Tunis

Tunezja

KRÓL.
SYCYLII

JOŃSK

Malta
(br.)

Ś
R
Ó

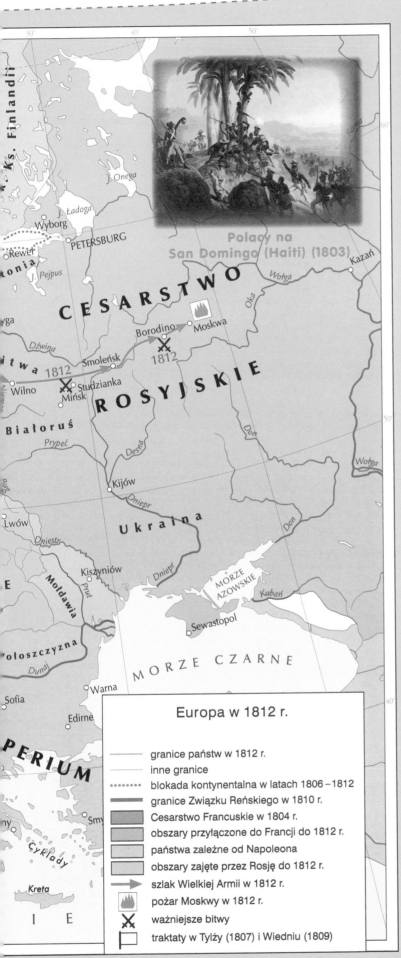

Europa w 1812 r.

——————	granice państw w 1812 r.
——————	inne granice
··········	blokada kontynentalna w latach 1806–1812
▬▬▬▬	granice Związku Reńskiego w 1810 r.
▨	Cesarstwo Francuskie w 1804 r.
▨	obszary przyłączone do Francji do 1812 r.
▨	państwa zależne od Napoleona
▨	obszary zajęte przez Rosję do 1812 r.
➜	szlak Wielkiej Armii w 1812 r.
▥	pożar Moskwy w 1812 r.
✕	ważniejsze bitwy
▭	traktaty w Tylży (1807) i Wiedniu (1809)

Polacy na San Domingo (Haiti) (1803)

W 1789 r. we Francji wybuchła rewolucja. Obaliła ona monarchię Burbonów i oddała władzę w ręce burżuazji. Po koronacji Napoleona Bonapartego na cesarza Francuzów w 1804 r., w wyniku jego kolejnych wojen, francuskie wzorce ustrojowe były narzucane podbitym krajom. Zniesiono różnice stanowe, wprowadzono równość wszystkich obywateli wobec prawa i rozdzielono sprawy Kościoła od spraw państwa. Opracowany na polecenie Napoleona zbiór praw, zwany Kodeksem Cywilnym, jest do dziś podstawą praw europejskich.

Nie mogąc się pogodzić z utratą ojczyzny, część polskich działaczy politycznych zabiegała u władz francuskich o pomoc w odbudowie państwa. Dzięki staraniom między innymi Józefa Wybickiego i generała Jana Henryka Dąbrowskiego utworzono Polski Legion Pomocniczy. Część legionistów obu formacji wróciła do kraju, część zginęła w walkach na Haiti, reszta zaś pozostała w armii francuskiej, czekając na wkroczenie wojsk napoleońskich na ziemie polskie.

Generał Jan Henryk Dąbrowski wkracza do Rzymu (1798)

Księstwo Warszawskie 1807–1815

- ── granice państw w 1812 r.
- ── inne granice
- Księstwo Warszawskie w 1807 r.
- ziemie przyłączone w 1809 r.
- obszar Galicji austriackiej po 1809 r.
- ziemie przekazane Rosji w 1807 r.
- Wolne Miasto Gdańsk (1807–1815)
- → działania wojsk polskich w 1809 r.
- → atak korpusu austriackiego w 1809 r.

Romantyczna wizja śmierci księcia Józefa Poniatowskiego (1813) – fragment obrazu Januarego Suchodolskiego

Koronacja Napoleona 2 XII 1804 r. – Jacques-Louis David

Artyleria konna w bitwie pod Raszynem (1809)

Po rozbiciu wojsk pruskich pod Jeną w 1806 r. armie napoleońskie znalazły się na ziemiach byłej Rzeczypospolitej. W wyniku pokoju w Tylży z 1807 r. z ziem zaboru pruskiego utworzono Księstwo Warszawskie, powiązane unią personalną z Saksonią. W dwuizbowym Sejmie obok szlachty znaleźli się mieszczanie i niektórzy chłopi. W konstytucji nadanej Polakom przez Napoleona w Dreźnie 22 VII 1807 r. znalazły się zapisy dotyczące tych instytucji. Sprawdzianem dla młodego państwa była wojna z Austrią w 1809 r. W wyniku bohaterskiej postawy żołnierzy polskich dowodzonych przez księcia Józefa Poniatowskiego zdobyto ziemie zabrane przez Austrię w trzecim rozbiorze. Wraz z wojskami napoleońskimi na Rosję wyruszyli polscy żołnierze. Jednak klęska Napoleona w Rosji przekreśliła nadzieje na odbudowę państwa polskiego. Niepowodzenia cesarza i jego abdykacja w 1814 r. wydały Księstwo Warszawskie na łaskę zaborców, głównie Rosji.

Część arystokracji uważała sukcesy Napoleona za krótkotrwałe i z Rosją wiązała nadzieje na odbudowę państwa. Głównym propagatorem tej idei, sięgającej XVIII w., był książę Adam Jerzy Czartoryski (1770–1861). Będąc przyjacielem przyszłego cara Aleksandra I, potem zaś jego ministrem, proponował władcy odbudowę Rzeczypospolitej w unii z Rosją. Dopiero wkroczenie wojsk rosyjskich do Księstwa Warszawskiego w 1813 r. umożliwiło księciu Czartoryskiemu i jego zwolennikom próbę realizacji unii polsko-rosyjskiej.

Palenie sztandarów francuskich podczas odwrotu wojsk napoleońskich spod Moskwy (1812)

Europa w latach 1815–1848

Koło podbiegunowe północne

MORZE NORWESKIE

KRÓL. NORWEGII (w unii od 1814)

KRÓL. SZWECJI

OCEAN ATLANTYCKI

MORZE PÓŁNOCNE

MORZE BAŁTYCKIE

Zat. Botnicka

WLK. Ks. Finlandii

W-y Owcze (duń.)

Szetlandy

Hebrydy · Orkady

CHRISTIANIA

Stavanger

SZTOKHOLM

Göteborg · Gotlandia

Hels

Eston

Ryga

Litwa

C

Glasgow · Edynburg

Belfast

ZJEDNOCZONE KRÓLESTWO

Dublin · Manchester

Liverpool

WIELKIEJ BRYTANII

I IRLANDII

LONDYN

AMSTERDAM

KRÓL. KOPENHAGA DANII

Gdańsk · Królewiec

Szczecin

WLK. KS. MEKLEMBURGII

BERLIN

KRÓL. PRUSKIE

Poznań

Warszawa

KRÓL. Polskie

Niemen

W

Hamburg

Hanower

KRÓL. HANOWERU

Dortmund

KRÓL. NIDERLANDÓW

BRUKSELA

Kolonia

Frankfurt

KRÓL. SAKSONII

Wrocław

Praga

KRÓL. Czech

Kraków

Galicja

Lwó

WLK. KS. LUKSEMBURG

PARYŻ

Nantes

Tours

Loara

Strasburg

WLK.KS. BADENII

KRÓL. WIRTEMBERGII

Men

KRÓL. BAWARII

MONACHIUM

Dunaj

WIEDEŃ

1815

Buda

CESARSTWO AUSTRIACKIE

KRÓL. Węgierski

Kluż

Temeszwar

Buka

Zatoka Biskajska

Bordeaux

KRÓLESTWO FRANCJI

Lyon

Genewa

BERNO

SZWAJCARIA

TURYN

Mediolan

Drawa

Lublana

Zagrzeb

Sawa

La Coruña

Duero

KRÓL. PORTUGALII

LIZBONA

Tag

KRÓL. HISZPANII

MADRYT

Toledo

Sewilla

Guadiana

Ebro

Barcelona

Baleary

ANDORA

Marsylia

MONAKO

KS. PARMY

KS. MODENY

Wenecja

PAŃSTWO KOŚCIELNE

MORZE ADRIATYCKIE

Zadar

Sarajewo

Bośnia

Belgrad

Ks. Serbii

KS. CZARNOGÓRY

CETYNIA

Sofia

IMPER

Ajaccio

Korsyka

RZYM

Benewent

NEAPOL

Salonik

KRÓL. SARDYNII

Gibraltar (br.)

Tanger

Ceuta (hiszp.)

Peñón de Vélez

Melilla

Rabat

FEZ

Oran

SUŁTANAT MAROKA

Algier

Algieria (od 1830 protektorat franc.)

Tunis

Tunezja

MORZE ŚRÓDZ

Cagliari

Sardynia

MORZE TYRREŃSKIE

Palermo

KRÓL. OBOJGA SYCYLII

Sycylia

Malta (br.)

MORZE JOŃSKIE

Wyspy Jońskie (br.)

ATENY

KRÓL. GRECJI (od 1832)

Europa w latach 1815–1848

——— granice państw w 1815 r.
——— inne granice
▬▬▬ granice Związku Niemieckiego w 1815 r.

obszary przyznane na kongresie wiedeńskim:

■ Prusom   □ Austrii   ▨ Rosji

▨ Królestwo Belgii od 1830 r.
□ lenna tureckie
⬜ kongres wiedeński w 1815 r.
🚩 rewolucje społeczne i powstania narodowe podczas Wiosny Ludów w 1848 r.

W latach 1814–1815 w Wiedniu obradował kongres, który miał przywrócić ład europejski sprzed rewolucji francuskiej. Na trony powrócili władcy wygnani przez siły rewolucyjne lub armie napoleońskie. W Europie miała panować równowaga sił, tak, by żadne z państw nie mogło uzyskać przewagi nad pozostałymi. Nad porządkiem ustalonym przez mocarstwa miał czuwać sojusz zwany Świętym Przymierzem.

Kongres wiedeński w 1815 r.

Cesarz Austrii Franciszek I

Przeciwko postanowieniom kongresu wiedeńskiego oraz Świętego Przymierza występowały narody, które pragnęły się wyzwolić spod obcego panowania, jak Polacy i Węgrzy, lub dążyły do wprowadzenia rządów konstytucyjnych i obalenia monarchii, jak Francuzi. Najwcześniej rozpoczęli walkę o zjednoczenie kraju i wypędzenie Austriaków spiskowcy włoscy, zwani karbonariuszami. Dążenie do zjednoczenia dało się zauważyć wśród studentów niemieckich. W 1821 r. wybuchło antytureckie powstanie Greków. Ostatecznie w 1830 r. mocarstwa ogłosiły niepodległość Grecji. W grudniu 1825 r. spiskowcy rosyjscy, (dekabryści) bezskutecznie próbowali obalić absolutystyczne rządy cesarza. We Francji rządy Karola X (1824–1830) doprowadziły do wybuchu w lipcu 1830 r. rewolucji, która wzmocniła rolę parlamentu. W tym samym roku zwycięstwem zakończyło się powstanie Walonów i Flamandów przeciwko królowi Holandii. Powstała niepodległa Belgia. Jednak listopadowe powstanie Polaków w 1830 r. w zaborze rosyjskim zakończyło się klęską. Największym wystąpieniem przeciwko Świętemu Przymierzu była tak zwana Wiosna Ludów w latach 1848–1849. Objęła ona cały kontynent z wyjątkiem Wielkiej Brytanii i Rosji. W jej wyniku zanikł system feudalny i zaczęły powstawać monarchie konstytucyjne.

Cesarz Rosji Aleksander I

Król Prus Fryderyk Wilhelm III

Ziemie polskie w latach 1815–1846

――― granice państw w 1815 r.
――― inne granice
▨ Królestwo Polskie (w unii z Rosją)
▨ Wielkie Księstwo Poznańskie
▨ Rzeczpospolita Krakowska
▨ obszar zaboru austriackiego (Galicja)
▨ rejony walk powstańczych w 1831 r.
▨ obszar rabacji galicyjskiej w 1846 r.
▮ miejsca i daty zrywów powstańczych
1830
✕ większe bitwy powstania listopadowego
(wojny polsko-rosyjskiej w 1831 r.)

-król Aleksander I i jego następca Mikołaj I łamali zasady konstytucji. Polacy, wobec niepowodzenia legalnych poczynań, rozpoczęli tworzenie organizacji spiskowych. Jedna z nich wywołała 29 XI 1830 r. powstanie listopadowe. Zakończyło się ono klęską jesienią następnego roku. Na uczestników spadły represje: więzienie, egzekucje lub wysiedlenie na Syberię. Klęska powstania nie zmniejszyła jednak dążeń niepodległościowych Polaków.

Część Księstwa Warszawskiego, nazwana Królestwem Polskim, która w 1815 r. przypadła Rosji, była połączona z imperium unią personalną. Królestwo miało autonomię, własny rząd, parlament, wojsko i system oświatowy. Jednak z czasem car-

Walki polsko-rosyjskie w parku Łazienkowskim – fragment obrazu Wojciecha Kossaka

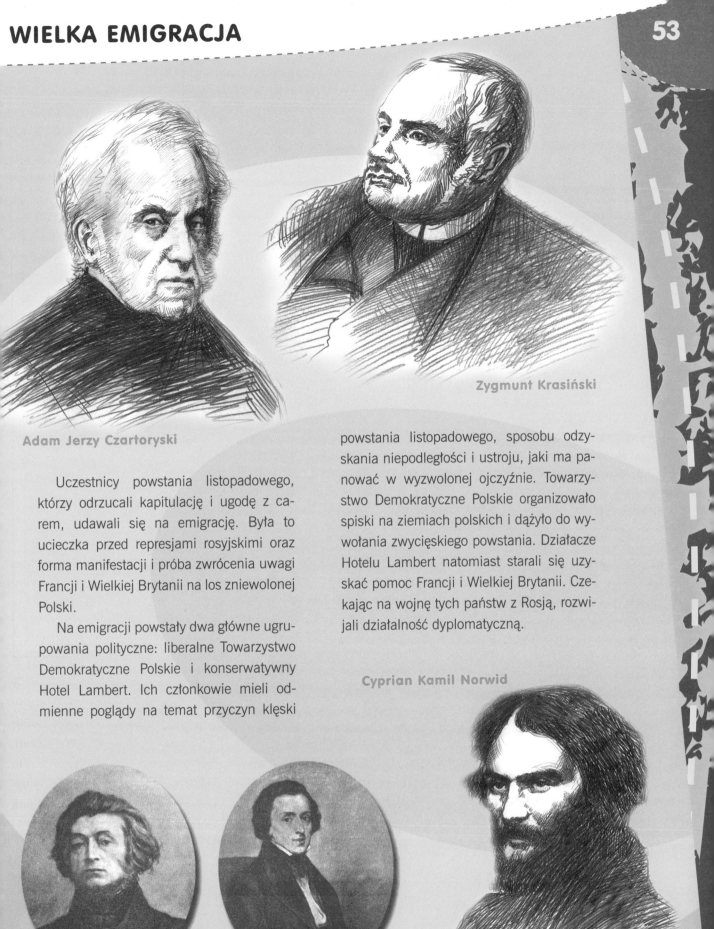

Zygmunt Krasiński

Adam Jerzy Czartoryski

Uczestnicy powstania listopadowego, którzy odrzucali kapitulację i ugodę z carem, udawali się na emigrację. Była to ucieczka przed represjami rosyjskimi oraz forma manifestacji i próba zwrócenia uwagi Francji i Wielkiej Brytanii na los zniewolonej Polski.

Na emigracji powstały dwa główne ugrupowania polityczne: liberalne Towarzystwo Demokratyczne Polskie i konserwatywny Hotel Lambert. Ich członkowie mieli odmienne poglądy na temat przyczyn klęski powstania listopadowego, sposobu odzyskania niepodległości i ustroju, jaki ma panować w wyzwolonej ojczyźnie. Towarzystwo Demokratyczne Polskie organizowało spiski na ziemiach polskich i dążyło do wywołania zwycięskiego powstania. Działacze Hotelu Lambert natomiast starali się uzyskać pomoc Francji i Wielkiej Brytanii. Czekając na wojnę tych państw z Rosją, rozwijali działalność dyplomatyczną.

Cyprian Kamil Norwid

Adam Mickiewicz

Fryderyk Szopen

Żałoba narodowa po klęsce powstania styczniowego – fragment obrazu Artura Grottgera

Wiosna Ludów na ziemiach polskich ograniczyła się do zaborów pruskiego i austriackiego. Związana była z wydarzeniami rewolucyjnymi i powstańczymi w Prusach i Austrii, które zostały zbrojnie stłumione przez władców.

Początkowo Prusacy zgodzili się na powołanie Komitetu Narodowego w Poznaniu i utworzenie korpusu polskiego, które jednak wkrótce zlikwidowano przy użyciu wojska. Podobna sytuacja miała miejsce w zaborze austriackim, gdzie rozwiązano ośrodki władzy polskiej w Krakowie i we Lwowie. W obu zaborach skutkiem Wiosny Ludów było ostateczne zniesienie feudalizmu i uwłaszczenie chłopów. W czasie panowania cara Aleksandra II (1855–1881) w Rosji rozpoczął się okres reform. Polacy wiązali z nim nadzieję na przywrócenie autonomii, bezskutecznie. 22 I 1863 r. wybuchło powstanie styczniowe. Wobec miażdżącej przewagi Rosjan zakończyło się klęską w 1864 r. Na mieszkańców Królestwa Polskiego i ziem położonych na wschód od Bugu spadły straszliwe represje i terror rusyfikacyjny.

Ziemie polskie w latach 1848–1864

- —— granice państw w 1848 r.
- —— inne granice
- Królestwo Polskie (w unii z Rosją)
- obszar zaboru austriackiego (Galicja)
- Wielkie Księstwo Poznańskie
- powstanie w Wielkopolsce w 1848 r.
- rejony walk podczas powstania styczniowego w latach 1863–1864
- ośrodki polskich władz powstańczych
- 1848 daty powstań narodowych

Gospodarka ziem polskich w końcu XIX w.

——— granice państw w 1900 r.

——— inne granice

ważniejsze okręgi przemysłowe

rejony wydobycia ropy naftowej

większe ośrodki przemysłu:

metalowego i maszynowego

różnego   tekstylnego

przetwórstwa spożywczego

wydobywczego węgla i soli

porty morskie

Ziemie polskie rozdarte między trzech zaborców coraz bardziej różniły się między sobą pod względem gospodarczym i cywilizacyjnym.

W zaborze rosyjskim postęp w rolnictwie był powolny, szybciej natomiast rozwijał się przemysł. Powstał okręg łódzki, w którym dominowały włókiennictwo i przemysł tekstylny. Przemysł ciężki koncentrował się w Zagłębiu Dąbrowskim oraz w Warszawie. Na ziemiach zaboru pruskiego prym w dziedzinie gospodarki wiodła Wielkopol-

ska. Najtrudniejsza sytuacja panowała w ubogiej Galicji, będącej dla Austrii źródłem podatków i rekrutów dla armii cesarskiej. W Galicji rozwinęło się wydobycie ropy naftowej.

Powszechnym zjawiskiem była emigracja zarobkowa: stała – głównie do obu Ameryk, i sezonowa, tak zwane saksy. Powoli spadała liczebność i polityczna rola ziemiaństwa, rosło natomiast znaczenie burżuazji i inteligencji. Wraz z rozwijającym się przemysłem zwiększała się liczba robotników.

Fabryka w Łodzi

Henryk Sienkiewicz

Maria Skłodowska-Curie

Ziemie polskie ok. 1900 r.

—— granice państw w 1900 r.
—— inne granice

wyższe uczelnie:

⊞ niemieckie ⊞ polskie ⊞ rosyjskie

ośrodki nauki i kultury polskiej

manifestacje patriotyczne 1905 r.

strajki i wystąpienia robotnicze 1905 r.

strajki szkolne

Podobnie jak w wypadku rozwoju gospodarczego, tak i w dziedzinie polityki losy podzielonego społeczeństwa polskiego różnie się potoczyły. W zaborze rosyjskim trwał proces rusyfikacji: likwidowano wszystkie pozostałości autonomii. W urzędach i szkolnictwie można było posługiwać się wyłącznie językiem rosyjskim. Konfiskowano ziemie szlachcie i Kościołowi rzymskokatolickiemu, które zaborca uważał za ostoje polskości.

Germanizacja w zaborze pruskim związana była z osobą kanclerza Ottona von Bismarcka. W latach 70. zapoczątkował on politykę zwaną Kulturkampfem. W latach 80. rozpoczęło się wykupowanie ziem z rąk Polaków. Po ustąpieniu kanclerza działania antypolskie zaostrzyły się. Narzędziem zaborcy był między innymi Niemiecki Związek Kresów Wschodnich, zwany również Hakatą. W zaborze austriackim od 1867 r. język polski dominował w szkołach i urzędach. Istniało polskie szkolnictwo wyższe i organy samorządowe, jak na przykład Sejm Krajowy. Posłowie polscy w parlamencie austriackim pełnili funkcje ministrów czy premiera.

Jan Matejko

Secesja – strój z fin-de-siècle'u

Lata 1871–1890 upłynęły pod znakiem przewagi Cesarstwa Niemieckiego na kontynencie europejskim. Po zjednoczeniu państw niemieckich pod egidą Królestwa Prus odpowiedzialny za politykę zagraniczną kanclerz Otto von Bismarck starał się zawrzeć układ o przyjaźni, pomocy lub nieagresji z każdym mocarstwem. Chodziło mu też o odizolowanie pokonanej w latach 1870–1871 Francji. Nowy cesarz Wilhelm II (1888–1918) zdymisjonował jednak w 1890 r. sędziwego kanclerza i rozpoczął realizację własnej polityki. Wkrótce Europa podzieliła się na dwa wrogie obozy: Trójporozumienie, łączące Francję, Rosję i Wielką Brytanię, oraz Trójprzymierze, skupiające Niemcy, Austro-Węgry i Włochy. Rywalizacja polityczna na kontynencie europejskim i w koloniach oraz konkurencja gospodarcza doprowadziły do wzrostu napięcia. Wszyscy z niepokojem patrzyli na Półwysep Bałkański, którego państwa walczyły z Turcją i pomiędzy sobą; na Bałkanach krzyżowały się interesy wielkich mocarstw. Spodziewano się, że właśnie tu wybuchnie nowy wielki konflikt zbrojny.

Europa w 1914 r.

——— granice państw w 1914 r.
——— inne granice

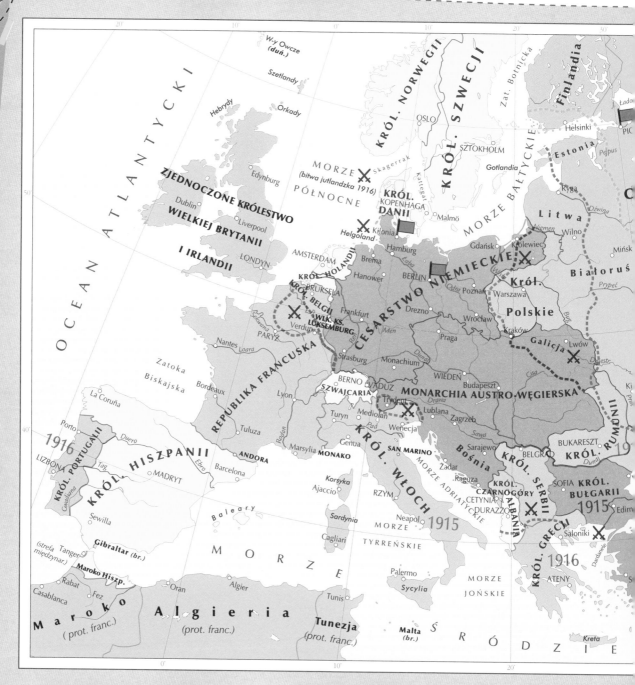

**Zmiany w wyglądzie
żołnierza brytyjskiego:
pojawiły się hełmy, granaty
ręczne i maski przeciwgazowe**

**Żołnierze australijscy
pod Gallipoli, 1915**

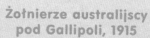

**Następca tronu
austriacki arcyksiążę Karol
wizytuje oddziały
na froncie**

Europa w latach 1914–1918

- ——— granice państw w 1914 r.
- ——— inne granice
- państwa ententy i ich sojusznicy
- państwa centralne i ich sojusznicy
- państwa neutralne
- 1915 data przystąpienia do wojny po sierpniu 1914 r.
- ✗ ważniejsze bitwy i rejony walk
- linie frontów w latach:
- 1914 1917 1918
- zasięg obszarów okupowanych przez wojska państw centralnych na wschodzie w 1918 r.
- rewolucje społeczne w latach 1917–1918

Burmistrz Wiednia wizytuje austriackich żołnierzy wiedeńczyków na froncie włoskim

Zamach spiskowców serbskich na austriackiego następcę tronu arcyksięcia Franciszka Ferdynanda w dniu 28 VI 1914 r. spowodował wypowiedzenie wojny Serbii przez Austro-Węgry. Ponieważ oba państwa miały swoich sojuszników, wkrótce stanęły przeciwko sobie prawie wszystkie państwa europejskie. Do wojny po stronie Trójporozumienia przystąpiły w 1917 r. Stany Zjednoczone, których udział przechylił szalę zwycięstwa.

Przewidywano, że wojna potrwa około sześciu tygodni. Jednak zakończyła się ona dopiero w listopadzie 1918 r. W 1917 r. wybuchła rewolucja w Rosji, która obaliła monarchię. Jesienią tego roku władzę przejęli bolszewicy. Pod koniec października 1918 r. rozpoczął się rozpad Austro-Węgier. W Niemczech wybuchła rewolucja, a 10 XI 1918 r. abdykował cesarz Wilhelm II. Dzień później w Compiègne pod Paryżem delegacja niemiecka podpisała zawieszenie broni. Podczas konfliktu zbrojnego zginęło około 9,5 miliona ludzi.

Pomnik upamiętniający żołnierzy francuskich poległych pod Verdun

Pozycje francuskie pod Verdun po odparciu kolejnego ataku niemieckiego

Adolf Hitler
1889–1945

Benito Mussolini
1883–1945

Europa w latach 1919–1938

— granice państw w 1923 r.
— inne granice
ŁOTWA państwa nowo powstałe w latach 1917–1921
S R R republiki Związku Radzieckiego
◻ traktat wersalski w 1919 r.

Włodzimierz Iljicz Lenin (w środku) podczas rozmowy z Lwem Trockim (z prawej)

W 1919 r., pod dyktando zwycięskich mocarstw: Francji, Wielkiej Brytanii, Stanów Zjednoczonych i Włoch, odbyła się konferencja pokojowa w Wersalu. Narzuciła ona ciężkie warunki pokonanym państwom. Nad utrzymaniem pokoju miała czuwać Liga Narodów.

W Europie po wielkiej wojnie nie tylko nie zanikły, ale wręcz nasiliły się napięcia. Związek Socjalistycznych Republik Radzieckich (ZSRR) pragnął objąć rewolucją sąsiadów. Powstały państwa totalitarne, jak Związek Radziecki, faszystowskie Włochy (1922 r.) i nazistowskie Niemcy (1933 r.). Powstawaniu dyktatur sprzyjały kryzysy ekonomiczne i niestabilne rządy demokratyczne. Porządkowi ustalonemu na konferencjach paryskich (zwano go też ładem wersalskim) zagrażały konflikty etniczne i spory międzynarodowe.

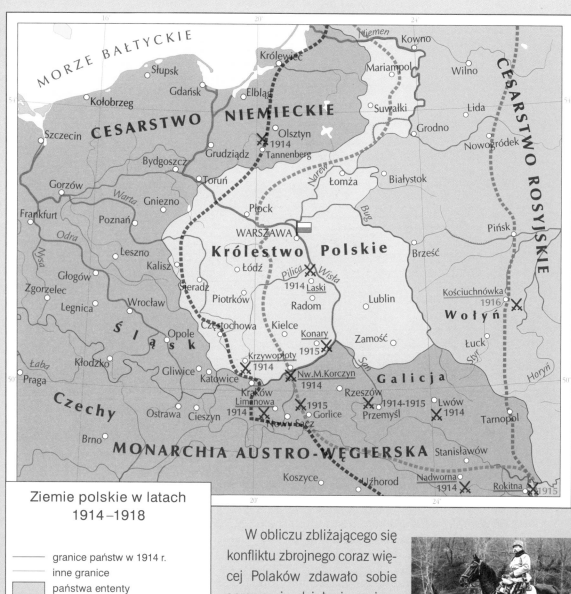

MORZE BAŁTYCKIE

CESARSTWO NIEMIECKIE

CESARSTWO ROSYJSKIE

Słupsk
Kołobrzeg
Szczecin
Gdańsk
Elbląg
Królewiec
Mariampol
Kowno
Wilno
Lida
Suwałki
Grodno
Olsztyn
1914
Tannenberg
Nowogródek
Bydgoszcz
Grudziądz
Toruń
Narew
Łomża
Białystok
Gorzów
Warta
Gniezno
Płock
Bug
Frankfurt
Poznań
Odra
WARSZAWA
Pińsk
Leszno
Nysa
Kalisz
Królestwo Polskie
Brześć
Głogów
Sieradz
Łódź
Pilica
Wisła
1914 Laski
Zgorzelec
Legnica
Wrocław
Piotrków
Radom
Lublin
Kościuchnówka
1916
Wołyń
ŚLĄSK
Opole
Częstochowa
Kielce
Konary
1915
Zamość
Łuck
Styr
Łaba
Kłodzko
Gliwice
Krzywopłoty
1914
Nw.M.Korczyn
1914
San
Galicja
Horyń
Praga
Katowice
Kraków
Limanowa
1914
1915
Gorlice
Rzeszów
1914-1915
Przemyśl
Lwów
1914
Tarnopol
Czechy
Ostrawa
Cieszyn
Nowy Sącz
MONARCHIA AUSTRO-WĘGIERSKA
Stanisławów
Brno
Koszyce
Użhorod
Nadworna
1914
Rokitna
1915

Ziemie polskie w latach 1914–1918

— granice państw w 1914 r.
··· inne granice
▨ państwa ententy
▨ państwa centralne
▨ okupowane Królestwo Polskie
front wschodni:
▪▪▪ XI 1914   ▪▪▪ IV 1915   ▪▪▪ X 1915
✗ ważniejsze bitwy
Konary bitwy Legionów Polskich
▬ proklamacja 5 listopada 1916 r.

W obliczu zbliżającego się konfliktu zbrojnego coraz więcej Polaków zdawało sobie sprawę, że działania wojenne toczyć się będą na ziemiach polskich. Pojawiła się nadzieja na poprawę losu narodu – pozbawionego niepodległości i rozdartego pomiędzy trzy mocarstwa. Część polityków myślała o zjednoczeniu ziem polskich na zasadach autonomii pod rządami jednego z za-

Generał Karol Trzaska-Durski, komendant Legionów Polskich

borców, ale niektórzy liczyli na odzyskanie pełnej niepodległości. Z austriackiego Krakowa 6 VIII 1914 r. wyruszył do walki pierwszy oddział polski – Kompania Kadrowa Józefa Piłsudskiego. Wkrótce utworzono też Legiony Polskie. 5 XI 1916 r. władze Państw Centralnych proklamowały utworzenie Królestwa Polskiego, jednak Niemcy i Austria zwlekały z wyłonieniem władz państwowych. Wywołało to powszechną niechęć do Niemiec. Do Warszawy przybył Józef Piłsudski, któremu Rada Regencyjna powierzyła 11 XI 1918 r. dowództwo nad wojskiem; później przekazała mu władzę i rozwiązała się. Rozpoczął się trudny okres formowania się władzy państwowej w niepodległej Polsce.

Bolesław Roja ranny pod Mołotkowem w otoczeniu oficerów

Powstające państwo polskie nie miało ustalonych granic. Punktem wyjścia do ich stworzenia mogły być granice przedrozbiorowe, ale stanęły temu na przeszkodzie między innymi dążenia Litwinów, Białorusinów i Ukraińców do utworzenia własnych państw. Na konferencji pokojowej w Wersalu do Polski, kosztem Niemiec, przyłączono Wielkopolskę i Pomorze Gdańskie bez Gdańska. Na Warmii i Mazurach odbył się w lipcu 1920 r. plebiscyt, w którym większość lokalnej ludności opowiedziała się za pozostaniem w Niemczech. Dzięki powstaniom śląskim, mimo niekorzystnych wyników plebiscytu z marca

Obrona Lwowa – Orlęta

1921 r. część Górnego Śląska przypadła Polsce. W walkach o granice Polska zmierzyła się z Ukraińcami we wschodniej Galicji, a w latach 1919–1920 prowadziła zwycięską wojnę z Rosją radziecką. Granicę wschodnią ustalił traktat pokojowy podpisany w Rydze 18 III 1921 r. Wcześniej generał Lucjan Żeligowski zajął Wilno i jego okolice, zamieszkane niemal wyłącznie przez ludność polską.

Marszałek Józef Piłsudski (1867–1935)

Odbudowa Polski 1918–1922

— granice państw w 1923 r.
— inne granice
━━ granice Polski w latach 1922–1938
ziemie wyzwolone i przyłączone w latach:
- 1918
- 1919–1921
- obszar wileński w latach 1920–1922
- Wolne Miasto Gdańsk
- obszary plebiscytów w 1920 r.

▭ ośrodki władz polskich w 1918 r.

▲ powstania śląskie i wielkopolskie

front polsko-radziecki w:
▪▪▪▪ V 1920 r.   ▪▪▪▪ VIII 1920 r.

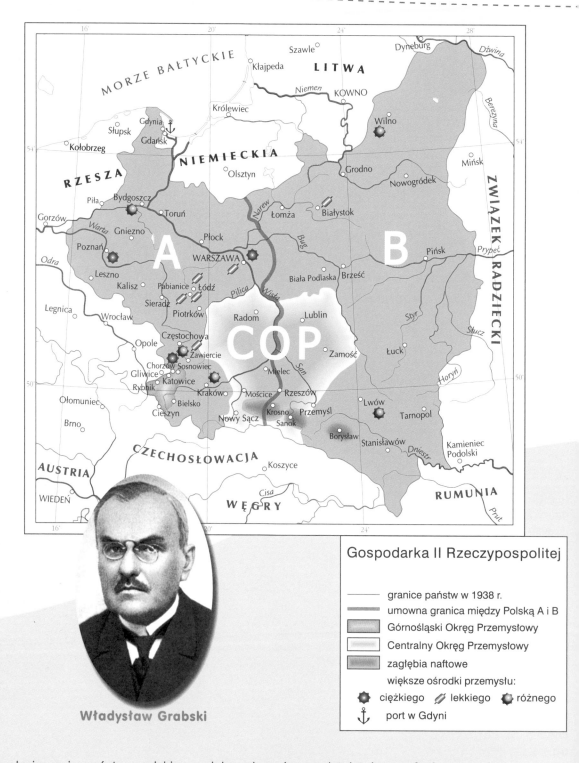

Władysław Grabski

Gospodarka II Rzeczypospolitej

— granice państw w 1938 r.
— umowna granica między Polską A i B
▢ Górnośląski Okręg Przemysłowy
▢ Centralny Okręg Przemysłowy
▢ zagłębia naftowe
większe ośrodki przemysłu:
⚙ ciężkiego ⚒ lekkiego ⚙ różnego
⚓ port w Gdyni

Odradzające się państwo polskie musiało pokonać ponadstuletnie zacofanie gospodarcze, scalić w jeden organizm gospodarczy odrębne i mocno zróżnicowane zabory oraz naprawić zniszczenia wojenne z lat 1914–1920. Polska nie dysponowała portem morskim, więc Polacy zbudowali od podstaw port w Gdyni. Gospodarkę nękały poważne kryzysy, opanowane przejściowo reformami premiera Władysława Grabskiego z 1924 r. Ożywienie gospodarcze nastąpiło po zamachu majowym Józefa Piłsudskiego (12 V 1926 r.). Jednak w 1929 r. rozpoczął się wielki kryzys gospodarczy o zasięgu światowym. Skutecznie przeciwstawił mu się wicepremier i minister skarbu Eugeniusz Kwiatkowski. Podjęto szerokie działania inwestycyjne, jak budowa Centralnego Okręgu Przemysłowego. Mimo trudności bilans gospodarczy II Rzeczypospolitej można uznać za zadowalający, biorąc pod uwagę bardzo trudny punkt startu.

Joachim von Ribbentrop w imieniu III Rzeszy podpisuje traktat z ZSRR

Na sytuację polityczną w Europie znacząco wpłynął światowy kryzys gospodarczy, który zaczął się w 1929 r. Rządy wielu państw nie radziły sobie z jego skutkami, co podważało zaufanie obywateli do państwa demokratycznego. Sprzyjało to powstawaniu dyktatur i systemów totalitarnych. W Niemczech do władzy w 1933 r. doszedł Adolf Hitler, który rozpoczął budowę nazistowskiej III Rzeszy. Widząc słabość Francji i Wielkiej Brytanii, przywódca ten zajął w 1938 r. Austrię. Między wrześniem 1938 r. a marcem 1939 r. Niemcy opanowały Czechy i Morawy, a ze Słowacji uczyniły zależne od Niemiec państwo.

Dalszą ekspansję Niemiec wspierał Związek Radziecki, który zawarł z III Rzeszą 23 VIII 1939 r. pakt o nieagresji. W tajnym protokole dodatkowym oba państwa dzieliły między siebie Europę Środkową. Pierwszym ich celem była Polska. Przewagę na kontynencie osiągnęły państwa wrogo nastawione do ładu wersalskiego i zmierzające do jego obalenia.

Owacje w Reichstagu na cześć Hitlera, Berlin, 1938 r.

Europa Środkowa w latach 1938–1939

——— granice państw od 15 III do 31 VIII 1939 r.
——— inne granice
——— linia Ribbentrop-Mołotow z 23 VIII 1939 r.

obszary anektowane od III 1938 do III 1939 przez:

Niemcy   Węgry   Polskę

okupacja niemiecka od 15 III 1939 r.

konferencja monachijska we IX 1938 r.

Benito Mussolini i Adolf Hitler

Europa w latach 1939–1945

granice państw w 1942 r.
inne granice
obszary przyłączone do Rzeszy Niemieckiej
państwa Osi w latach 1941–1944
obszary okupowane przez państwa Osi
państwa alianckie   państwa neutralne
zbrojny ruch oporu   ważniejsze bitwy
siedziba rządu polskiego na emigracji
miejsca formowania wojsk polskich za granicą
linie frontów w latach:

| 1941 | 1942 | 1943 | 1944 |

linia spotkania aliantów w Niemczech w 1945 r.

O C E A N   A R K T Y C Z N Y

Koło podbiegunowe północne

MORZE NORWESKIE

W-y Owcze (duń.)

Szetlandy

Hebrydy   Orkady

Lofoty   Narwik

S Z W E C J A   N o r w e g i a   F I N L A N D I A

Zat. Botnicka

Bergen   OSLO   Uppsala   HELSINKI
Stavanger   SZTOKHOLM   Tallin   Estońska SRR
Göteborg   Gotlandia   Ryga   Łotewska SRR

MORZE BAŁTYCKIE   Dźw

O C E A N   A T L A N T Y C K I

Glasgow   Edynburg
Belfast
I R L A N D I A   DUBLIN
WIELKA   Liverpool
BRYTANIA
LONDYN

MORZE PÓŁNOCNE

Kilonia   KOPENHAGA   Malmö
D a n i a
Litewska SRR   Niemen   Kowno
Gdańsk   Królewiec   Wilno
Szczecin   Biało

AMSTERDAM
Holandia   Brema   Hamburg   Lubeka
Hanower   BERLIN   Warta   Poznań   Warszawa
BRUKSELA   Dortmund   Odra   Drezno   Łódź   **Generalne**
Belgia   Kolonia   Frankfurt   N I E M C Y   Wrocław   **Gubernatorstwo**
Luksemburg   Men   Praga   Kraków   Lwów
Caen   Sekwana   PARYŻ   Strasburg   Norymberga   **Protektorat Czech i Moraw**
Falaise   Dunaj   Monachium   **SŁOWACJA**
W-y Normandzkie   WIEDEŃ   BRATYSŁAWA   Cisa

Nantes   Loara   Tours   F r a n c j a
LIECHTENSTEIN VADUZ   A u s t r i a   BUDAPESZT   **WĘGRY**   Kluż
BERNO   **SZWAJCARIA**   Drawa

Zatoka Biskajska

Bordeaux   Lyon   Genewa   Lublana
La Coruña   Duero   VICHY   Turyn   Mediolan   Wenecja   ZAGRZEB   Sawa   **C h o r w a c j a**   **R U M U N**
Porto   Rodan   Pad   BUKARESZT
Tuluza   Sarajewo   Belgrad   Dunaj
P O R T U G A L I A   H I S Z P A N I A   Marsylia   **MONAKO**   **SAN MARINO**   Zadar   **S e r b i a**
LIZBONA   Tag   MADRYT   **ANDORA**   Ebro   Barcelona   W Ł O C H Y   MORZE ADRIATYCKIE   Dubrownik   SOFIA   **B U Ł G A**
Gwadiana   Korsyka   **WATYKAN**   Tirana   Skopie
Sewilla   Baleary   Ajaccio   RZYM   Monte Cassino   Bari   **Albania**   Saloniki
Sardynia   Neapol   **G r e c j a**
Gibraltar (br.)   Cagliari   MORZE TYRREŃSKIE   ATENY   Cykl
(strefa Tanger międzynar.)   **Maroko Hiszp.**   M O R Z E
Casablanca   Rabat   Fez   Oran   Algier   Palermo   Messyna   MORZE JOŃSKIE   Kreta
M a r o   Tunis   Sycylia   Ś R Ó D Z I
(prot. franc.)   A l g i e r i a   **Tunezja**   Valletta   **Malta (br.)**
(prot. franc.)

Trypolis   Tobruk
L i b i a (wł.)

Niemieccy żołnierze na froncie wschodnim

Defilada żołnierzy niemieckich w Warszawie w 1939 r.

II wojna światowa rozpoczęła się 1 IX 1939 r. od ataku Niemiec na Polskę; siedemnaście dni później zbrojnej napaści na nią dokonał Związek Radziecki. W 1940 r. Niemcy pokonały Francję i inne państwa Europy zachodniej. Dopiero bitwa lotnicza o Wielką Brytanię zakończyła się klęską Niemiec. Taki sam wynik miały walki morskie, zwane bitwą o Atlantyk. Od 1940 r. po stronie Niemiec walczyły Włochy. W latach 1939–1940 Związek Radziecki próbował podbić Finlandię i zajął Estonię, Łotwę, Litwę oraz północno-wschodnią część Rumunii. W 1941 r. wojska niemieckie zaatakowały ZSRR. Po przejściowych sukcesach niemieckich w 1943 r. nastąpił przełom w wojnie na korzyść Związku Radzieckiego (Stalingrad – II 1943 r., Kursk – VII 1943 r.). W VI 1944 r. alianci wylądowali we Francji. W 1945 r. połączone siły alianckie pokonały Niemcy, które kapitulowały 8 V. W konflikcie wojennym straty ludzkie wyniosły około 50 milionów zabitych.

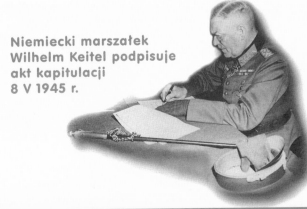

Niemiecki marszałek Wilhelm Keitel podpisuje akt kapitulacji 8 V 1945 r.

Wojna obronna Polski w 1939 r.

——— granice państw 31 VIII 1939 r.

——— inne granice

⇨ główne natarcia niemieckie do 17 IX 1939 r.

⇨ wkroczenie Armii Czerwonej 17 IX 1939 r.

✕✕ bitwy polsko-niemieckie i polsko-radzieckie

⚙ miejsca dłuższego oporu wojsk polskich

━━━ granica niemiecko-radziecka z 28 IX 1939 r.

Zmotoryzowane i opancerzone oddziały niemieckie już w pierwszym tygodniu walk przerwały front i rozpoczęły marsz na Warszawę. 17 IX rozpoczęła się napaść radziecka. W tej sytuacji władze państwowe i wojsko rozpoczęły ewakuację do Rumunii. Zamierzały dostać się do Francji i tam kontynuować walkę u boku sojuszników. Jednak pod naciskiem Niemiec i ZSRR zostały internowane. 28 IX kapitulowała Warszawa. Po bitwie pod Kockiem 5 X 1939 r. broń złożyły ostatnie oddziały Wojska Polskiego. Klęska wywołała głęboki wstrząs w społeczeństwie, które winą za katastrofę państwa obarczyło obóz rządzący – sanację.

Ruiny Warszawy
w 1945 r.

Więźniowie łagrów radzieckich

Polska pod okupacją 1939–1945

——— granice państw w 1940 r.

——— inne granice

obszary anektowane w 1939 r. przez:

Niemcy   ZSRR   Litwę   Słowację

━━━ granica Wielkiej Rzeszy w latach 1941–1944

🅿 niemieckie obozy (koncentracyjne i zagłady)

✡ większe getta żydowskie

✚ masowe egzekucje i rzezie ludności

⚔ powstania i większe bitwy partyzanckie

Ziemie na zachód od Bugu, które przypadły Niemcom, zostały podzielone na dwie części: ziemie wcielone do Niemiec i Generalne Gubernatorstwo. Niemcy starali się zniszczyć kulturę polską, zmuszali ludność do niewolniczej pracy i stosowali powszechny terror. Obywateli II Rzeczypospolitej wywożono do obozów. Niemcy dokonali ludobójstwa ludności romskiej i żydowskiej w obozach zagłady.

Okupant radziecki wcielił przypadłe mu ziemie polskie do swego państwa i rozpoczął bezwzględne wynaradawianie. Zsyłanie w głąb ZSRR, więzienia, egzekucje, niszczenie polskiej kultury, tępienie języka polskiego były na porządku dziennym. Powstało tajne polskie państwo, a na jego czele stanęła Delegatura Rządu na Kraj. Siły zbrojne tworzyła Armia Krajowa.

W 1944 r., wobec zbliżającej się Armii Czerwonej, oddziały Armii Krajowej starały się wyzwolić ziemie polskie. Stoczono wiele bitew z Niemcami. Największą z nich było powstanie warszawskie (1 VIII–2 X 1944 r.). Nie obroniło to Polski przed utratą suwerenności na rzecz Związku Radzieckiego.

Niemiecki obóz koncentracyjny

Europa w latach 1945–1989

- granice państw w 1955 r.
- inne granice
- granice z 1937 r.
- tzw. żelazna kurtyna do 1989 r.
- 1960 rok uzyskania niepodległości

OCEAN ARKTYCZNY

Koło podbiegunowe północne

MORZE NORWESKIE

MORZE PÓŁNOCNE

OCEAN ATLANTYCKI

NORWEGIA

SZWECJA

FINLANDIA

W-y Owcze (duń.)

Szetlandy

Hebrydy   Orkady

OSLO

SZTOKHOLM

Göteborg   Gotlandia

HELSINKI   Wyborg

TALLIN   Leningrad

Murmańsk

Zat. Botnicka

J. Ładoga

MORZE BAŁTYCKIE

Estońska SRR   Pejpus

RYGA   Łotewska SRR

Litewska SRR   Dźwina

Kaliningrad (RFSRR)   WILNO

MINSK

Białoruska SRR

SOC

Belfast

Edynburg

IRLANDIA   DUBLIN

WIELKA BRYTANIA

Liverpool

LONDYN

AMSTERDAM

HOLANDIA   Brema

BRUKSELA

BELGIA

LUKSEMBURG

DANIA   KOPENHAGA

Hamburg   Szczecin

BERLIN   Berlin Zachodni

NRD   Drezno

Gdańsk

Poznań   WARSZAWA

POLSKA

Łódź

Wrocław   Kraków

Lwów

Ukraiń

Pińsk

PARYŻ

FRANCJA

Nantes   Loara

Bordeaux

Strasburg

Frankfurt

BONN

RFN   Men

Monachium

WIEDEŃ

CZECHOSŁOWACJA

PRAGA

Dunaj

Bratysława

AUSTRIA   BUDAPESZT

WĘGRY

Kluź

KISZYNIÓW

Mołdawska SRR

RUMUNIA

BUKARESZT

La Coruña

Porto

PORTUGALIA   LIZBONA

Duero

HISZPANIA

MADRYT

Sewilla

Tag

Guadiana

Ebro

Barcelona

Baleary

ANDORA

Marsylia   MONAKO

Lyon   Turyn   Mediolan

Genewa

LIECHTENST.

SZWAJCARIA

BERNO

Wenecja   Triest

Pad

SAN MARINO

Florencja

WŁOCHY

Korsyka

Ajaccio

WATYKAN   RZYM

Sardynia

Neapol   Bari

Zagrzeb

Lublana

Sawa

Drawa

JUGOSŁAWIA

BELGRAD

Zadar

Dubrownik

MORZE ADRIATYCKIE

ALBANIA   TIRANA

SOFIA

BUŁGARIA   Warna

Konsta

Dunaj

GRECJA

Skopie

Saloniki

ATENY

Cyklady

Smyrna

Rod

Gibraltar (br.)

(strefa międzynar. Tanger do 1956)

Maroko Hiszp.

Rabat   Fez

Casablanca

MAROKO (prot. franc.)   1956

Oran   Algier

1962

Algieria (prot. franc.)   1956

Tunis

1956

Tunezja (prot. franc.)   1964

Valletta

Malta (br.)

Palermo

Sycylia

MORZE TYRREŃSKIE

MORZE JOŃSKIE

Kreta

MORZE ŚRÓDZIEM

Zatoka Biskajska

Paczki żywnościowe z USA były dużą pomocą dla ludności Europy

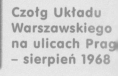

Czołg Układu Warszawskiego na ulicach Prag – sierpień 1968

Symbol nowej epoki
– zespół The Beatles

Na zajętych przez Armię Czerwoną terenach Europy Środkowej ZSRR realizował w latach 1944–1948 politykę tworzenia systemów zależnych od siebie państw budujących socjalizm. Scenariusz był prosty: najpierw ZSRR tworzył w danym kraju partię komunistyczną, a potem umożliwiał jej przejęcie władzy. Miejscowi komuniści przeprowadzali popularne reformy, likwidując jednocześnie krwawo ugrupowania antykomunistyczne.

Próby zrzucenia jarzma w tych państwach (NRD, Węgry, Czechosłowacja, Polska) były tłumione przez armię radziecką i jej sojuszników albo przez siły zbrojne rządzących lokalnie komunistów. Tymczasem w Europie Zachodniej rozpoczęto, w dużej mierze dzięki kredytom z USA, zwanym planem Marshalla, odbudowę gospodarczą wyniszczonych wojną krajów. Symbolem podzielonej na dwa obozy Europy były Niemcy rozbite w 1949 r. na komunistyczną część wschodnią (NRD) i demokratyczną zachodnią (RFN). W 1957 r. na zachodzie Europy pogłębiono procesy integracyjne, tworząc Europejską Wspólnotę Gospodarczą.

Budowa muru berlińskiego
w 1961 r.

Podział Niemiec w 1945 r.

—— granice państw w 1945 r.
—— inne granice
------ granice z 1939 r.

strefy okupowane przez:

USA   W. Brytanię   Francję   ZSRR

obszary pod zarządem:

Francji   Polski   ZSRR

🔲 miasta podzielone na sektory aliantów

...wstanie węgierskie 1956 r.
...zniszczony posąg J. Stalina

W Polsce, podobnie jak w innych krajach, które znalazły się w strefie działań Armii Czerwonej, władzę objęła lewica komunistyczna. Reforma rolna i racjonalizacja przemysłu, a także ogłoszenie programu odbudowy kraju i zagospodarowania Ziem Odzyskanych – jak nazywano tereny przyłączone do Polski w 1945 r. kosztem Niemiec – miały jej zapewnić poparcie społeczeństwa. Jednocześnie rządząca partia eliminowała lub osłabiała przeciwników politycznych, stosując terror lub fałszerstwa. Władze nowej Polski rozbiły podziemie antykomunistyczne, sfałszowały wyniki wyborów do Sejmu w 1947 r. i zlikwidowały legalną opozycję. Przywódcy będącej u władzy Polskiej Zjednoczonej Partii Robotniczej

Polska w nowych granicach

——— granice państw w 1945 r.
——— inne granice
▬▬▬ granice Polski w sierpniu 1945 r.
▢ Obszar i granice Polski w 1939 r.
▨ ziemie wcielone do ZSRR
▢ ziemie włączone do Polski w 1945 r.
🏭 miasta zniszczone 50–90%
⚐ układ graniczny z NRD w 1950 r.

(PZPR), jak na przykład Bolesław Bierut, starali się pod każdym względem upodobnić państwo polskie do Związku Radzieckiego. Ukoronowaniem tych przemian była konstytucja uchwalona 22 VII 1952 r., wzorowana na radzieckiej, tak zwanej stalinowskiej, z 1936 r. Od tej pory obowiązywała nowa nazwa państwa: Polska Rzeczpospolita Ludowa (PRL).

Przemówienie Bolesława Bieruta w Sejmie

Kryzysy gospodarcze oraz niezadowolenie z rządów prowadziły do wystąpień i strajków. Demonstracje w Poznaniu 28 VI 1956 r. przerodziły się w walki uliczne. W grudniu 1970 r. podwyżki cen zmusiły stoczniowców z Wybrzeża do protestów. Wiece i pochody robotników, przeciwko którym władza wysłała milicję i wojsko, przerodziły się w masakrę. Oburzenie społeczne było tak wielkie, że kierownictwo partyjne zmusiło swego przywódcę, Władysława Gomułkę, do rezygnacji z funkcji szefa PZPR.

Polska Rzeczpospolita
Ludowa 1952–1989

granice państw — inne granice
zagłębia węgla kamiennego
zagłębia węgla brunatnego
zagłębie miedziowe
wydobycie siarki i soli
Większe ośrodki przemysłu:
ciężkiego (elektromaszynowego, hutniczego, środków transportu)
chemicznego, rafineryjnego i farmaceutycznego
tekstylnego   różnego
energetycznego   porty morskie
rurociąg „Przyjaźń"
większe protesty społeczne i strajki

Generał Wojciech Jaruzelski przyjmuje manifestację pierwszomajową

Rządy przywódcy komunistów Edwarda Gierka (1970––1980) nazwano cudem na kredyt. Próba ekonomicznego doścignięcia Europy Zachodniej zakończyła się kryzysem w partii i państwie oraz zadłużeniem gospodarki. W sierpniu 1980 r. wybuchły strajki, które objęły cały kraj. Przez szesnaście miesięcy władze PRL musiały tolerować niezależne związki zawodowe NSZZ „Solidarność". 13 XII 1981 r. generał Wojciech Jaruzelski, przywódca partii, wprowadził stan wojenny.

Europa w 2004 r.

granice państw w 2004 r.
inne granice
obszary administrowane przez siły
międzynarodowe
konflikty religijne i narodowościowe

Lata 1989–1993 stanowiły okres przełomowy w historii Europy powojennej. Rozpad ZSRR (1991 r.) pociągnął za sobą likwidację radzieckiej strefy wpływów. Rozpadły się Czechosłowacja (1992 r.) i Jugosławia (1991 r.)

Próbą ratowania dawnych wpływów była ogłoszona w 1991 r. rosyjska inicjatywa utworzenia Wspólnoty Niepodległych Państw. Przyłączyły się do niej byłe republiki radzieckie z wyjątkiem Estonii, Litwy, Łotwy oraz Gruzji. Układ Warszawski oraz Rada Wzajemnej Pomocy Gospodarczej – narzędzia radzieckiej dominacji – zostały rozwiązane. Wolność dla krajów Europy Środkowej przyszła dopiero czterdzieści pięć lat po zakończeniu II wojny światowej.

Dzięki upadkowi systemu komunistycznego sojusz północnoatlantycki powiększył się o nowe kraje. Podobna szansa stanęła przed krajami Unii Europejskiej.

Budynek parlamentu europejskiego w Brukseli

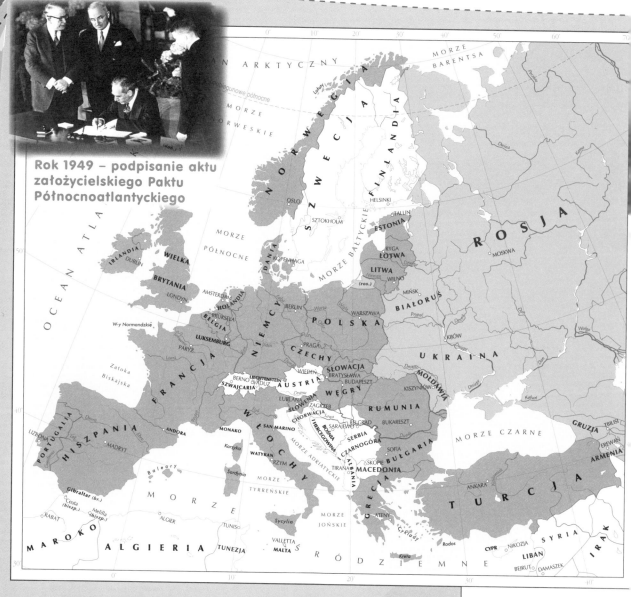

Rok 1949 – podpisanie aktu założycielskiego Paktu Północnoatlantyckiego

Członkowie NATO 50 lat po jego utworzeniu – już z udziałem przedstawicieli Polski

NATO w Europie

	granice państw
▨	państwa NATO w 2004 r.
▫	Wspólnota Niepodległych Państw

Koniec II wojny światowej stał się początkiem tzw. zimnej wojny, czyli okresu wrogości między dawnymi członkami koalicji antyhitlerowskiej. Po jednej stronie stanął Związek Radziecki, zmierzający do narzucenia ustroju komunistycznego Europie, a po drugiej – demokratyczne Stany Zjednoczone, Wielka Brytania i Francja, które pragnęły powstrzymać marsz ZSRR na zachód. W obliczu nadchodzącego wojennego zagrożenia radzieckiego w 1949 r. powstała Organizacja Paktu Północnoatlantyckiego (NATO). Państwa członkowskie (wśród nich USA, Kanada, Wielka Brytania, Francja i Włochy) zobowiązały się do niesienia sobie wzajemnej pomocy na wypadek obcej napaści. W 1999 r. przystąpiły do niego kraje należące dawniej do Układu Warszawskiego: Polska, Czechy i Węgry. Pięć lat później sojusz został rozszerzony o Słowację, Rumunię, Bułgarię, Słowenię, a także o trzy byłe republiki radzieckie, czyli Estonię, Litwę i Łotwę.

Kryzys polityczno-gospodarczy narastający w Związku Radzieckim w drugiej połowie lat 80. spowodował osłabienie kontroli sprawowanej przez ZSRR w państwach Europy Środkowo-Wschodniej. W 1989 r. w krajach uzależnionych od ZSRR rozpoczęła się tak zwana jesień narodów. System komunistyczny w Polsce, Czechosłowacji, Rumunii, Bułgarii i na Węgrzech zaczął upadać. Wiosną następnego roku przywódca ZSRR Michaił Gorbaczow wyraził zgodę na zjednoczenie dwóch państw niemieckich w jedno państwo – Republikę Federalną Niemiec. W Jugosławii w 1991 r. wybuchły kilkuletnie walki zbrojne pomiędzy jej narodami, a w ich wyniku powstały niezależne państwa. Bez wojny dokonał się w 1992 r. podział państwa czechosłowackiego. W 1993 r. wycofały się z Europy płd.-wsch. ostatnie jednostki Armii Czerwonej.

Upadek muru berlińskiego w 1989 r.

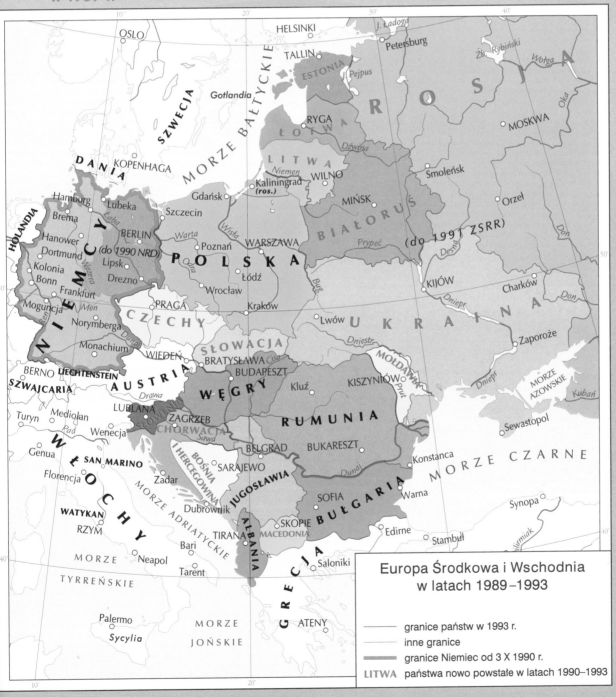

Europa Środkowa i Wschodnia
w latach 1989–1993

—— granice państw w 1993 r.
—— inne granice
—— granice Niemiec od 3 X 1990 r.
LITWA państwa nowo powstałe w latach 1990–1993

Unia Europejska

— granice państw
— obszar UE do 30 IV 2004 r.
— państwa w UE od 1 V 2004 r.

Lech Wałęsa — pierwszy prezydent Polski wybrany w wyborach powszechnych w 1990 r. Laureat Pokojowej Nagrody Nobla. Przywódca wolnego związku zawodowego „Solidarność", który doprowadził do upadku systemu komunistycznego

Po II wojnie światowej pojawiły się pomysły ściślejszej współpracy krajów europejskich. W 1951 r. powstała Europejska Wspólnota Węgla i Stali, scalająca te gałęzie gospodarcze państw członkowskich. Kamieniem milowym w procesie jednoczenia się państw Europy zachodniej było powstanie w 1957 r. Europejskiej Wspólnoty Gospodarczej. Początkowo należały do niej RFN, Francja, Włochy, Holandia, Belgia i Luksemburg. W okresie późniejszym do EWG przystąpiły kolejne państwa. W grudniu 1991 r. w Maastricht przywódcy państw EWG zatwierdzili projekt powołania do życia Unii Europejskiej. Jej głównymi

zasadami były: wspólna polityka zagraniczna, wspólna obrona przed zagrożeniem zewnętrznym, prawo do swobodnego osiedlania się wewnątrz Unii oraz wspólne gospodarka i waluta. 1 V 2004 r. do UE zostały przyjęte: Estonia, Litwa, Łotwa, Polska, Czechy, Słowacja, Węgry, Słowenia, Cypr i Malta. Krajami kandydującymi są Rumunia, Bułgaria oraz Turcja.

Papież Jan Paweł II
(1978–2005)

Europa Środkowa i Wschodnia
od 1993 r.

——— granice państw w 2004 r.

Godło Rzeczypospolitej

woj. mazowieckie

woj. dolnośląskie

woj. opolskie

woj. podlaskie

woj. lubelskie

woj. łódzkie

woj. lubuskie

woj. podkarpackie

woj. warmińsko-mazu

woj. zachodniopomorskie

woj. śląskie

woj. wielkopolskie

woj. kujawsko-pomorskie

woj. świętokrzyskie

woj. pomorskie

woj. małopolskie

Rzeczpospolita Polska w 2005 r.

——— granice państw w 2005 r.

——— granice województw

ŁÓDŹ   stolice województw

Przyjęcie do NATO Polski wraz z częścią krajów sąsiedzkich przyczyniło się do zwiększenia bezpieczeństwa państwa. W 2004 r. Polska przystąpiła do Unii Europejskiej. Trwają prace związane z dostosowaniem się do przepisów i norm UE. Kolejnym etapem na drodze do pełnej integracji z Unią ma być w przyszłości wprowadzenie w Polsce wspólnej waluty – euro.

SPIS TREŚCI

ŹRÓDŁA MATERIALNE pisane

• prasa

• ustawy, konstytucje, dekrety i przywileje

• starodruki

• pamiętniki
  kroniki
  roczniki

• dokumenty

• mapy

• dzieła literackie

• rękopisy

• inskrypcje na kamieniu
  i tabliczkach glinianych